A PROGRESSIVE COURSE OF
LATIN UNSEENS

Oxford University Press, Ely House, London W. 1

GLASGOW   NEW YORK   TORONTO   MELBOURNE   WELLINGTON
CAPE TOWN   SALISBURY   IBADAN   NAIROBI   LUSAKA   ADDIS ABABA
BOMBAY   CALCUTTA   MADRAS   KARACHI   LAHORE   DACCA
KUALA LUMPUR   HONG KONG

A PROGRESSIVE COURSE OF
LATIN UNSEENS

Selected and Edited by

H. A. HENDERSON, M.A.

and

C. W. BATY, M.A.

Head Master of the
King's School, Chester

OXFORD UNIVERSITY PRESS

FIRST PUBLISHED 1929
REPRINTED 1930, 1933, 1937, 1944. 1947
1949, 1951, 1954. 1957, 1960, 1966

PRINTED IN GREAT BRITAIN
AT THE UNIVERSITY PRESS, OXFORD
BY VIVIAN RIDLER
PRINTER TO THE UNIVERSITY

PREFACE

To the multitude of Latin unseen books we have dared to add this one, because it is of the kind that we have ourselves sought for. Teaching experience has shown us the need of a graded series of extracts, numerous enough and of soundly typical Latinity, leading from the beginnings of serious translation in fourth forms to the level of a good fifth form. Beyond that we do not go, for the School Certificate is a branching of ways, and the needs of the sixth form are already abundantly supplied.

The three hundred and forty passages which we have selected are grouped into three parts, thus:

i. Easy pieces of a fourth-form type, in which prose predominates, both because at this stage more prose is read in school, and because it is hard to find much in the poets that is within the range.

ii. Rather longer passages, intended to provide a year's progress for a lower fifth form, and drawn mostly from those authors who are the staple reading of such a form.

iii. A wider selection, composed equally of prose and verse, beginning with such pieces as might be found in a School Certificate paper, and varied with extracts from such authors as Lucretius, Terence, Horace, and Tacitus, to meet the needs of forms who read outside the narrower range of Part II.

Our principle has been to present that kind of writing which a boy or girl may be expected to have dealt with in prepared work at each stage, and thus to co-ordinate the set books and the written unseens. And, since we have had the School Certificate course especially in mind, we have throughout drawn most freely on the authors who are habitually set in that examination.

Most of the pieces should occupy the forms for which they are intended from forty-five minutes to an hour : but experience shows that incomplete periods make occasional short pieces useful, and for more extended tests we have included some of rather greater length. Probably no one will wholly agree with our grading—so much depends on individual experience and aptitude ; but we believe that a teacher who selects for his weekly exercises passages in ascending order without excessive gaps will find in each section a satisfactory year's course. To help in the choice of alternatives, we have added an index arranged under authors : for, at the rate of one piece a week, there is material for three school years in each section.

For the text we have used in general the readings of the best editions available : we have made a few omissions, partly when a couplet or a clause was too hard for its place, and partly to reduce a story or an argument to the length required : otherwise we have not tampered with the texts of our authors.

To enlarge the range of possible pieces, and at the same time to extend the pupils' vocabulary, we have given translations of occasional words : this does not mean that all the other words need be familiar : there is room for the use of intelligent inference in translation.

Our obligation to other unseen books is negative, for we have tried to avoid passages which appear in such books as we know, and have drawn upon

    (*a*) experience of texts read in school,

    (*b*) reading or re-reading of authors selected, and

(*c*) the collective experience of our colleagues, of whom we must especially thank Mr. H. K. St. J. Sanderson, Mr. N. G. Mumford, and Mr. F. A. S. Sewell.

We are also grateful to the Oxford and Cambridge Certificate Examination Board for the suggestions derived and extracts borrowed from their papers of past years. And finally we would gratefully record our debt to the patient courtesy and the vigilance of the University Press.

H. A. H.
C. W. B.

BEDFORD, *May* 1928.

PART I
1–90

1. *Caesar's preparations for war with the Belgae.*

His nuntiis litterisque commotus Caesar duas legiones in citeriore Gallia novas conscripsit, et, inita aestate, in interiorem Galliam qui deduceret Quintum Pedium legatum misit. Ipse cum primum pabuli copia esse inciperet, ad exercitum venit. Dat negotium Senonibus reliquisque Gallis, qui finitimi Belgis erant, ut ea quae apud eos gerantur cognoscant, seque de his rebus certiorem faciant.

2. *Rome taken by the Gauls.*

Statim Galli Senones ad urbem venerunt et victos Romanos undecimo miliario a Roma apud flumen Alliam secuti etiam urbem occupaverunt. Neque defendi quicquam nisi Capitolium potuit : quod cum diu obsedissent et iam Romani fame laborarent, accepto auro, ne Capitolium obsiderent, recesserunt. Sed a Camillo, qui in vicina civitate exulabat, Gallis superventum est, gravissimeque victi sunt. Postea tamen etiam secutus eos Camillus ita cecidit, ut et aurum, quod his datum fuerat, et omnia, quae ceperant, militaria signa revocaret. Ita tertio triumphans urbem ingressus est et appellatus secundus Romulus, quasi et ipse patriae conditor.

3. *The enemy raise the siege.*

Eo de media nocte Caesar isdem ducibus usus, qui nuntii ab Iccio venerant, Numidas et Cretas sagittarios et funditores Baleares subsidio oppidanis mittit. Quorum adventu et Remis cum spe defensionis studium propugnandi accessit, et hostibus eadem de causa spes potiundi oppidi discessit. Itaque paulisper apud oppidum morati agrosque Remorum depopulati, omnibus vicis aedificiisque, quos adire potuerant, incensis, ad castra Caesaris omnibus copiis contenderunt et ab milibus passuum minus

duobus castra posuerunt; quae castra ut fumo atque
ignibus significabatur, amplius milibus passuum octo in
latitudinem patebant.

4. *Quinctius, the new consul, is eager to begin hostilities.*

T. Quinctius alter consul maturius, quam priores soliti
erant consules, a Brundisio cum transmisisset, Corcyram
tenuit cum octo milibus peditum, equitibus octingentis.
Ab Corcyra in proxima Epiri quinqueremi traiecit et in
castra Romana magnis itineribus contendit. Inde Villio
dimisso paucos moratus dies, dum se copiae ab Corcyra
assequerentur, consilium habuit, utrum recto itinere per
castra hostium viam facere conaretur an ne temptata
quidem re tanti laboris ac periculi per Dassaretios potius
Lyncumque tuto circuitu Macedoniam intraret.

5. *The Trojans sight Italy.*

Iamque rubescebat stellis Aurora fugatis,
cum procul obscuros collis humilemque videmus
Italiam.   Italiam primus conclamat Achates,
Italiam laeto socii clamore salutant.
tum pater Anchises magnum cratera corona
induit implevitque mero, divosque vocavit
stans celsa in puppi:
'di maris et terrae tempestatumque potentes,
ferte viam vento facilem et spirate secundi.'
crebrescunt optatae aurae portusque patescit
iam propior, templumque apparet in arce Minervae.
vela legunt socii et proras ad litora torquent.

6. *Pyrrhus and the Romans.*

Pyrrhus mox ad Italiam venit, tumque primum Romani
cum transmarino hoste dimicaverunt. Missus est contra
eum consul P. Valerius Laevinus, qui cum exploratores
Pyrrhi cepisset, iussit eos per castra duci, ostendi omnem

exercitum, tumque dimitti, ut renuntiarent Pyrrho quae-
cunque a Romanis agerentur. Commissa mox pugna,
cum iam Pyrrhus fugeret, elephantorum auxilio vicit, quos
incognitos Romani expaverunt. Sed nox proelio finem
dedit: Laevinus tamen per noctem fugit, Pyrrhus
Romanos mille octingentos cepit et eos summo honore
tractavit, occisos sepelivit. Quos cum adverso vulnere
et truci vultu etiam mortuos iacere vidisset, tulisse ad
caelum manus dicitur cum hac voce: se totius orbis
dominum esse potuisse, si tales sibi milites contigis-
sent.

7. *Caesar brings up reinforcements from Italy.*

Caesari renuntiatur Helvetiis esse in animo per agrum
Sequanorum et Haeduorum iter in Santonum fines facere,
qui non longe a Tolosatium finibus absunt, quae civitas
est in provincia. Ipse in Italiam magnis itineribus contendit duasque ibi legiones conscribit et tres, quae circum
Aquileiam hiemabant, ex hibernis educit et, qua proximum
iter in ulteriorem Galliam per Alpes erat, cum his quinque legionibus ire contendit. Ibi Centrones et Graioceli
et Caturiges locis superioribus occupatis itinere exercitum
prohibere conantur. Compluribus his proeliis pulsis ab
Ocelo, quod est oppidum citerioris provinciae extremum,
in fines Vocontiorum ulterioris provinciae die septimo
pervenit; inde in Allobrogum fines, ab Allobrogibus in
Segusianos exercitum ducit. Hi sunt extra provinciam
trans Rhodanum primi.

8. *Ariadne complains to Theseus of his desertion.*

Luna fuit: specto si quid nisi litora cernam;
    quod videant oculi nil nisi litus habent.
nunc huc nunc illuc, et utroque sine ordine curro:
    alta puellares tardat arena pedes.

interea toto clamanti litore ' Theseu '
reddebant nomen concava saxa tuum.
et quoties ego te, toties locus ipse vocabat;
ipse locus miserae ferre volebat opem.

arena : sand.

9. *A rash general.*

Curio cum omnibus copiis quarta vigilia exierat cohortibus quinque castris praesidio relictis. Progressus milia
passuum sex, equites convenit, rem gestam cognovit; ex
captivis quaerit, quis castris ad Bagradam praesit: respondent Saburram. Reliqua studio itineris conficiendi
quaerere praetermittit, proximaque respiciens signa,
'Videtisne,' inquit, 'milites, captivorum orationem cum
perfugis convenire? abesse regem, exiguas esse copias
missas, quae paucis equitibus pares esse non potuerint?
Proinde ad praedam, ad gloriam properate, ut iam de
praemiis vestris et de referenda gratia cogitare incipiamus.'

10. *Integrity of Fabricius.*

Interiecto anno contra Pyrrhum Fabricius est missus.
Tum, cum vicina castra ipse et rex haberent, medicus
Pyrrhi nocte ad eum venit, promittens veneno se Pyrrhum
occisurum, si sibi aliquid polliceretur. Quem Fabricius
vinctum reduci iussit ad dominum, Pyrrhoque dici quae
contra caput eius medicus spopondisset. Tum rex
admiratus eum dixisse fertur : 'Ille est Fabricius, qui
difficilius ab honestate quam sol a cursu suo averti potest.'
Tum rex ad Siciliam profectus est. Fabricius victis Lucanis
et Samnitibus triumphavit.

11. *The messengers are seen and challenged.*

Interea praemissi equites ex urbe Latina,
cetera dum legio campis instructa moratur,
ibant et Turno regi responsa ferebant,
ter centum, scutati omnes, Volcente magistro.

iamque propinquabant castris murosque subibant,
cum procul hos laevo flectentis limite cernunt,
et galea Euryalum sublustri noctis in umbra
prodidit immemorem radiisque adversa refulsit.
haud temere est visum. conclamat ab agmine Volcens:
' state, viri. quae causa viae? quive estis in armis?
quove tenetis iter?' nihil illi tendere contra,
sed celerare fugam in silvas et fidere nocti.

12. *Caesar marches after Pompey.*

Caesar, postquam Pompeium ad Asparagium esse cognovit, eodem cum exercitu profectus, expugnato in
itinere oppido Parthinorum, in quo Pompeius praesidium
habebat, tertio die in Macedoniam ad Pompeium pervenit, iuxtaque eum castra posuit; et postridie, eductis
omnibus copiis, acie instructa, decernendi potestatem
Pompeio fecit. Ubi illum suis locis se tenere animadvertit,
reducto in castra exercitu, aliud sibi consilium capiendum
existimavit. Itaque postero die omnibus copiis magno
circuitu difficili angustoque itinere Dyrrachium profectus
est, sperans Pompeium aut Dyrrachium compelli aut ab
eo intercludi posse, quod omnem commeatum totiusque
belli apparatum eo contulisset.

13. *Rome sends help to Apollonia.*

Legati eo ab Apollonia venerunt nuntiantes in obsidi-
one sese, quod deficere ab Romanis nollent, esse neque
sustinere ultra vim Macedonum posse, nisi praesidium
mittatur Romanum. Facturum se, quae vellent, pollicitus
duo milia delectorum militum navibus longis mittit ad
ostium fluminis cum praefecto sociorum Q. Naevio Crista,
viro impigro et perito militiae. Is expositis in terram
militibus navibusque Oricum retro, unde venerat, ad ceteram classem remissis milites procul a flumine per viam
minime ab regiis obsessam duxit et nocte, ita ut nemo
hostium sentiret, urbem est ingressus.

14. *Ceres revives Triptolemus in the house of Celeus at Eleusis.*

Limen ut intravit, luctus videt omnia plena :
    iam spes in puero nulla salutis erat.
matre salutata (mater Metanira vocatur)
    iungere dignata est os puerile suo.
pallor abit, subitasque vident in corpore vires.
    tantus caelesti venit ab ore vigor.
tota domus laeta est ; hoc est, materque paterque
    nataque : tres illi tota fuere domus.

15. *The Athenian position at Marathon.*

Hoc in tempore nulla civitas Atheniensibus auxilio fuit
praeter Plataeenses. Ea mille misit militum. Itaque horum
adventu decem milia armatorum completa sunt, quae
manus mirabili flagrabat pugnandi cupiditate. Quo factum
est ut plus quam collegae Miltiades valeret. Eius ergo
auctoritate impulsi Athenienses copias ex urbe eduxerunt
locoque idoneo castra fecerunt. Dein postero die sub
montis radicibus acie regione instructa non apertissima
proelium commiserunt (namque arbores multis locis
erant rarae) hoc consilio, ut et montium altitudine tege-
rentur et arborum tractu equitatus hostium impediretur ne
multitudine clauderentur.

16. *Roman operations against Macedon.*

Consul Sulpicius eo tempore inter Apolloniam ac
Dyrrachium ad Apsum flumen habebat castra, quo arces-
situm L. Apustium legatum cum parte copiarum ad depo-
pulandos hostium fines mittit. Apustius, extrema Macedoniae populatus multis castellis primo impetu captis ad
Antipatream, in faucibus angustis sitam urbem, venit. Ac
primo evocatos principes ad colloquium, ut fidei Romanorum se committerent perlicere est conatus ; deinde, ubi
magnitudine ac moenibus situque urbis freti dicta asper-

nabantur, vi atque armis adortus expugnavit, puberibusque
interfectis, praeda omni militibus concessa diruit muros
atque urbem incendit.

fauces : valley, pass; *perlicio :* entice, induce.

17. *Ovid describes his place of banishment.*

Innumerae circa gentes fera bella minantur,
  quae sibi non raptu vivere turpe putant.
nil extra tutum est : tumulus defenditur ipse
  moenibus exiguis ingenioque loci.
cum minime credas, ut aves, densissimus hostis
  advolat et praedam vix bene visus agit.
saepe intra muros clausis venientia portis
  per medias legimus noxia tela vias.
est igitur rarus rus qui colere audeat, isque
  hac arat infelix, hac tenet arma manu.

18. *Patriotism of Regulus.*

Post haec mala Carthaginienses Regulum ducem,
quem ceperant, petiverunt, ut Romam proficisceretur, et
pacem a Romanis obtineret, ac permutationem captivorum faceret. Ille Romam cum venisset, inductus in
senatum, nihil quasi Romanus egit, dixitque se ex illa
die, qua in potestatem Afrorum venisset, Romanum esse
desisse. Itaque et uxorem a complexu removit et sena-
tui suasit, ne pax cum Poenis fieret : illos enim fractos
tot casibus spem nullam habere ; se tanti non esse, ut
tot milia captivorum propter unum se et senem et
paucos, qui ex Romanis capti fuerant, redderentur.
Itaque obtinuit. Nam Afros pacem petentes nullus admisit. Ipse Carthaginem rediit, offerentibusque Romanis, ut eum Romae tenerent, negavit se in ea urbe
mansurum, in qua postquam Afris servierat, dignitatem
honesti civis habere non posset. Regressus igitur ad
Africam omnibus suppliciis exstinctus est.

19. *Leander looks across the Hellespont towards Hero.*

Rupe sedens aliqua specto tua litora tristis ;
    et quo non possum corpore, mente feror.
lumina quin etiam summa vigilantia turre
    aut videt aut acies nostra videre putat.
ter mihi deposita est in sicca vestis arena ;
    ter grave tentavi carpere nudus iter.
obstitit inceptis tumidum iuvenilibus aequor,
    mersit et adversis ora natantis aquis.

acies : sight, eyes.

20. *Caesar's legionaries storm the enemy's camp.*

Caesar, Pompeianis ex fuga intra vallum compulsis,
nullum spatium perterritis dari oportere existimans,
milites cohortatus est, ut beneficio fortunae uterentur,
castraque oppugnarent.   Qui, etsi magno aestu (nam ad
meridiem res erat perducta) tamen, ad omnem laborem
animo parati, imperio paruerunt.   Castra a cohortibus,
quae ibi praesidio erant relictae, industrie defendebantur,
multo etiam acrius a Thracibus barbarisque auxiliis.
Nam qui acie refugerant milites, et animo perterriti et
lassitudine confecti, magis de reliqua fuga quam de castrorum defensione cogitabant.   Neque vero diutius, qui
in vallo constiterant, multitudinem telorum sustinere
potuerunt, sed confecti vulneribus locum reliquerunt, pro-
tinusque omnes in altissimos montes, qui ad castra per-
tinebant, confugerunt.

21. *Caesar intimidates the Gauls.*

Postridie eius diei Caesar, priusquam se hostes ex terrore
ac fuga reciperent, in fines Suessionum, qui proximi
Remis erant, exercitum duxit, et, magno itinere confecto,
ad oppidum Noviodunum contendit.   Id ex itinere oppugnare conatus, quod vacuum ab defensoribus esse
audiebat, propter latitudinem fossae murique altitudinem,

paucis defendentibus, expugnare non potuit. Castris
munitis, vineas agere, quaeque ad oppugnandum usui
erant, comparare coepit. Interim omnis ex fuga Suessionum multitudo in oppidum proxima nocte convenit.
Celeriter vineis ad oppidum actis, aggere iacto turribusque
constitutis Galli magnitudine operum et celeritate Romanorum permoti, legatos ad Caesarem de deditione mit-
tunt, et, petentibus Remis, ut conservarentur impetrant.

22. *Pallas challenges the approaching Trojans.*

                  ' Iuvenes, quae causa subegit
ignotas temptare vias ? quo tenditis ?' inquit,
' qui genus ? unde domo ? pacemne huc fertis an arma ?'
tum pater Aeneas puppi sic fatur ab alta
paciferaeque manu ramum praetendit olivae:
' Troiugenas ac tela vides inimica Latinis,
quos illi bello profugos egere superbo.
Euandrum petimus. ferte haec et dicite lectos
Dardaniae venisse duces socia arma rogantis.'
obstipuit tanto percussus nomine Pallas:
' egredere o quicumque es ', ait, ' coramque parentem
adloquere ac nostris succede penatibus hospes.'
excepitque manu dextramque amplexus inhaesit.
progressi subeunt luco fluviumque relinquunt.

23. *Caesar lands in Britain.*

Accessum est ad Britanniam omnibus navibus meridi-
ano fere tempore, neque in eo loco hostis est visus ; sed,
ut postea Caesar ex captivis cognovit, cum magnae manus eo convenissent, multitudine navium perterritae, a
litore discesserant, ac se in superiora loca abdiderant.
Caesar exposito exercitu et loco castris idoneo capto, ubi
ex captivis cognovit, quo in loco hostium copiae conse-
dissent, cohortibus decem ad mare relictis et equitibus
trecentis, qui praesidio navibus essent, de tertia vigilia ad

hostes contendit, eo minus veritus navibus, quod in litore molli atque aperto deligatas ad ancoram relinquebat, et praesidio navibus Quintum Atrium praefecit.

24. *How Xerxes was tricked by Themistocles.*

Hic etsi male rem gesserat, tamen tantas habebat reliquias copiarum, ut etiam tum iis opprimere posset hostes : iterum ab eodem gradu depulsus est. Nam Themistocles, verens ne bellare perseveraret, certiorem eum fecit id agi, ut pons, quem ille in Hellesponto fecerat, dissolveretur ac reditu in Asiam excluderetur, idque ei persuasit. Itaque qua sex mensibus iter fecerat, eadem minus diebus xxx in Asiam reversus est seque a Themistocle non superatum sed conservatum iudicavit. Sic unius viri prudentia Graecia liberata est Europaeque succubuit Asia ; haec altera victoria, quae cum Marathonio possit comparari tropaeo.

25. *Cacus has cleverly stolen the cattle of Hercules.*

Mane erat : excussus somno Tirynthius hospes
　　de numero tauros sentit abesse duos.
nulla videt quaerens taciti vestigia furti :
　　traxerat aversos Cacus in antra feros :
Cacus, Aventinae timor atque infamia silvae,
　　non leve finitimis hospitibusque malum.

26. *Caesar's plan is thwarted owing to misleading information.*

Prima luce, cum summus mons a Labieno teneretur, ipse ab hostium castris non longius mille et quingentis passibus abesset neque, ut postea ex captivis comperit, aut ipsius adventus aut Labieni cognitus esset, Considius equo admisso ad eum accurrit, dicit montem, quem a Labieno occupari voluerit, ab hostibus teneri : id se a

Gallicis armis atque insignibus cognovisse. Caesar suas
copias in proximum collem subducit, aciem instruit.
Labienus, ut erat ei praeceptum a Caesare, ne proelium
committeret, nisi ipsius copiae prope hostium castra
visae essent, ut undique uno tempore in hostes impetus
fieret, monte occupato nostros expectabat proelioque ab-
stinebat. Multo denique die per exploratores Caesar
cognovit et montem a suis teneri et Helvetios castra
movisse et Considium timore perterritum quod non
vidisset pro viso sibi renuntiavisse.

27. 52. B.C. A Gallic rising is utterly defeated.

Hostes terga vertunt; fugientibus equites occurrunt:
fit magna caedes. Sedulius, dux et princeps Lemovicum,
occiditur; Vergasillaunus Arvernus vivus in fuga compre-
henditur; signa militaria septuaginta quattuor ad Caesarem referuntur: pauci ex tanto numero se incolumes
in castra recipiunt. Conspicati ex oppido caedem et fugam
suorum, desperata salute, copias a munitionibus reducunt.
Fit protinus, hac re audita, ex castris Gallorum fuga. Quod
nisi crebris subsidiis ac totius diei labore milites essent
defessi, omnes hostium copiae deleri potuissent. De media
nocte missus equitatus novissimum agmen consequitur:
magnus numerus capitur atque interficitur: reliqui ex
fuga in civitates discedunt.

conspicor: see.

28. Paris offers to take Helen to Troy.

Troia classis adest, armis instructa virisque;
    iam facient celeres remus et aura vias.
ibis Dardanias ingens regina per urbes,
    teque novam credet vulgus adesse deam.
dona pater fratresque et cum genetrice sorores,
    Iliadesque omnes totaque Troia dabit.

ei mihi ! pars a me vix dicitur ulla futuri :
    plura feres quam quae littera nostra refert.
nec tu rapta time, ne nos fera bella sequantur,
    concitet et vires Graecia magna suas.

concito : arouse.

29. *Why Ariovistus declined a pitched battle.*

Proximo die instituto suo Caesar e castris utrisque
copias suas eduxit, paulumque a maioribus castris progressus aciem instruxit ; hostibus pugnandi potestatem
fecit.   Ubi ne tum quidem eos prodire intellexit, circiter
meridiem exercitum in castra reduxit.   Tum demum
Ariovistus partem suarum copiarum, quae castra minora
oppugnaret, misit.   Acriter utrimque usque ad vesperum
pugnatum est.   Solis occasu suas copias Ariovistus, multis et inlatis et acceptis vulneribus, in castra reduxit.
Cum ex captivis quaereret Caesar, quam ob rem Ariovistus proelio non decertaret, hanc reperiebat causam :
quod apud Germanos ea consuetudo esset ut matresfami-
liae eorum sortibus et vaticinationibus declararent, utrum
proelium committi ex usu esset, necne ; eas ita dicere :
non esse fas Germanos superare, si ante novam lunam
proelio contendissent.

vaticinatio : prophecy.

30. *Chronological Parallels.*

Bellum deinde in terra Graecia maximum Peloponne-
siacum, quod Thucydides memoriae mandavit, coeptum
est circa annum fere post conditam Romam trecentesi-
mum vicesimum tertium. Qua tempestate Olus Postumius
Tubertus dictator Romae fuerat, qui filium suum, quod
contra suum dictum in hostem pugnaverat, securi necavit.
Hostes tunc Populi Romani fuerunt Fidenates atque
Aequi.   In hoc tempore nobiles celebresque erant Sopho-
cles ac deinde Euripides tragici poetae et Hippocrates
medicus et philosophus Democritus, quibus Socrates

Atheniensis natu quidem posterior fuit, sed quibusdam
temporibus isdem vixerunt.

31. *Innovations of Iphicrates.*

Iphicrates Atheniensis non tam magnitudine rerum
gestarum quam disciplina militari nobilitatus est. Fuit
enim talis dux, ut non solum aetatis suae cum primis com-
pararetur, sed ne de maioribus natu quidem quisquam
anteponeretur. Multum vero in bello est versatus, saepe
exercitibus praefuit, nusquam culpa male rem gessit,
semper consilio vicit tantumque eo valuit, ut multa in re
militari partim nova attulerit, partim meliora fecerit.
Namque ille pedestria arma mutavit. Cum ante illum
imperatorem maximis clipeis, brevibus hastis, minutis
gladiis uterentur, ille e contrario peltam pro parma fecit,
ut ad motus concursusque essent leviores, hastae modum
duplicavit, gladios longiores fecit.

32. *Protesilaus sets sail from Aulis, leaving Laodamia.*

Ventus erat nautis aptus, non aptus amanti :
  solvor ab amplexu, Protesilae, tuo,
linguaque mandantis verba imperfecta reliquit ;
  vix illud potui dicere triste ' vale'.
incubuit Boreas abreptaque vela tetendit,
  iamque meus longe Protesilaus erat.
dum potui spectare virum, spectare iuvabat,
  sumque tuos oculos usque secuta meis ;
ut te non poteram, poteram tua vela videre,
  vela diu vultus detinuere meos.

33. *A brave veteran.*

Erat Crastinus evocatus in exercitu Caesaris, qui
superiore anno apud eum primum pilum in legione x
duxerat, vir singulari virtute. Hic signo dato ' Sequimini
me',inquit, 'manipulares mei qui fuistis et vestro imperatori

quam constituistis operam date. Unum hoc proelium
superest; quo confecto et ille suam dignitatem et nos
nostram libertatem reciperabimus.' simul respiciens
Caesarem, 'Faciam', inquit, 'hodie, imperator, ut aut vivo
mihi aut mortuo gratias agas'. Haec cum dixisset, primus
ex dextro cornu procucurrit atque eum electi milites
circiter cxx voluntarii eiusdem centuriae sunt prosecuti.

34. 56. *B.C. Caesar's measures to pacify Gaul.*

Itaque cum intellegeret omnes fere Gallos novis rebus
studere, et ad bellum mobiliter celeriterque excitari,
omnes autem homines natura libertati studere et condi-
cionem servitutis odisse, prius quam plures civitates
conspirarent, partiendum sibi ac latius distribuendum
exercitum putavit. Itaque Titum Labienum legatum in
Treviros, qui proximi flumini Rheno sunt, cum equitatu
mittit. Huic mandat, Remos reliquosque Belgas adeat
atque in officio contineat, Germanosque, qui auxilio a Belgis
arcessiti dicebantur, si per vim navibus flumen transire
conentur, prohibeat. P. Crassum cum cohortibus legiona-
riis duodecim et magno numero equitatus in Aquitaniam
proficisci iubet, ne ex his nationibus auxilia in Galliam
mittantur, ac tantae nationes coniungantur.

35. *A Storm at Sea.*

Postquam altum tenuere rates nec iam amplius ullae
apparent terrae, caelum undique et undique pontus,
tum mihi caeruleus supra caput astitit imber
noctem hiememque ferens, et inhorruit unda tenebris.
continuo venti volvunt mare magnaque surgunt
aequora; dispersi iactamur gurgite vasto;
involvere diem nimbi, et nox umida caelum
abstulit, ingeminant abruptis nubibus ignes.
excutimur cursu et caecis erramus in undis.

ipse diem noctemque negat discernere caelo
nec meminisse viae media Palinurus in unda.
tres adeo incertos caeca caligine soles
erramus pelago, totidem sine sidere noctes.

caligo : darkness.

36. *After the battle of Magnesia.*

Et illo quidem die victores direptis hostium castris cum
magna praeda in sua reverterunt; postero die spoliabant
caesorum corpora et captivos contrahebant. Legati ab
Thyatira et Magnesia ab Sipylo ad dedendas urbes
venerunt. Antiochus cum paucis fugiens, in ipso itinere
pluribus congregantibus se, modica manu armatorum
media ferme nocte Sardis concessit. Inde cum audisset
Seleucum filium et quosdam amicorum Apameam pro-
gressos, et ipse quarta vigilia cum coniuge et filia petit
Apameam. Xenoni tradita custodia urbis, Timone
Lydiae praeposito; quibus spretis consensu oppidanorum
et militum, qui in arce erant, legati ad consulem missi
sunt. Sardibus iam consul erat; eo et P. Scipio ab
Elaea, cum primum pati laborem viae potuit, venit.

37. *Curio refuses to survive his defeat.*

Curio ubi, perterritis omnibus, neque cohortationes
suas neque preces audiri intellegit, unam, ut in miseris
rebus, spem reliquam salutis arbitratus, proximos collis
capere universos, atque eo signa inferri iubet. Hos
quoque praeoccupat missus a Saburra equitatus. Tum
vero ad summam desperationem nostri perveniunt, et
partim fugientes ab equitatu interficiuntur, partim integri
procumbunt. Hortatur Curionem Cn. Domitius, praefectus equitum, cum paucis equitibus circumsistens, ut
fuga salutem petat, atque in castra contendat; et se ab
eo non discessurum pollicetur. At Curio nunquam se,
amisso exercitu, quem a Caesare fidei commissum ac-

ceperit, in eius conspectum reversurum confirmat, atque
ita proelians interficitur.

38. *Winter in exile.*

Nix iacet, et iactam nec sol pluviaeve resolvunt;
　　indurat Boreas, perpetuamque facit.
ergo ubi delicuit nondum prior, altera venit,
　　et solet in multis bima manere locis.
tantaque commoti vis est Aquilonis, ut altas
　　aequet humo turres, tectaque rapta ferat.
pellibus et sutis arcent male frigora bracis,
　　oraque de toto corpore sola patent.
saepe sonant moti glacie pendente capilli,
　　et nitet inducto candida barba gelu.

　　deliquesco (perf. *delicui*) : melt away; *bracae* : trousers.

39. *Bad news from Fabius.*

　　Caesar, nuntiis ad civitatem Haeduorum missis, qui
suo beneficio conservatos docerent quos iure belli
interficere potuisset, tribusque horis noctis exercitui ad
quietem datis castra ad Gergoviam movet. Medio fere
itinere equites a Fabio missi quanto res in periculo fuerit
exponunt. Summis copiis castra oppugnata demonstrant,
cum crebro integri defessis succederent nostrosque adsi-
duo labore defatigarent, quibus propter magnitudinem
castrorum perpetuo esset isdem in vallo permanendum.
Multitudine sagittarum atque omnis generis telorum
multos vulneratos; ad haec sustinenda magno usui fuisse
tormenta. Fabium discessu eorum duabus relictis portis
obstruere ceteras pluteosque vallo addere et se in posterum
diem ad similem casum apparare. His rebus cognitis
Caesar summo studio militum ante ortum solis in castra
pervenit.

　　pluteus : breastwork.

40. *King Philip cuts off the Roman foragers.*

Postero die consul omnibus copiis in aciem descendit
ante prima signa locatis elephantis, quo auxilio tum
primum Romani, quia captos aliquot bello Punico
habebant, usi sunt. Ubi latentem intra vallum hostem
vidit, in tumulos quoque ac sub ipsum vallum exprobrans
metum successit. Postquam ne tum quidem potestas
pugnandi dabatur, quia ex tam propinquis stativis parum
tuta frumentatio erat, dispersos milites per agros equitibus
extemplo invasuris, octo fere inde milia, intervallo tutiorem
frumentationem habiturus, castra ad Ottolobum—id est
loco nomen—movit. Cum in propinquo agro frumenta-
rentur Romani, primo rex intra vallum suos tenuit ut
cresceret socordia simul et neglegentia cum audacia hosti.
Ubi effusos vidit, cum omni equitatu et Cretensium
auxiliaribus, citato profectus agmine inter castra Romana
et frumentatores constituit signa.

exprobro: reproach.

41. *King Juba's forces are easily beaten.*

His rebus gestis, Curio se in castra ad Bagradam
recepit, atque universi exercitus conclamatione imperator
appellatur, posteroque die Uticam exercitum ducit, et
prope oppidum castra ponit. Nondum opere castrorum
perfecto, equites ex statione nuntiant magna auxilia equitum peditumque ab rege missa Uticam venire ; eodemque
tempore vis magna pulveris cernebatur, et vestigio temporis primum agmen erat in conspectu. Novitate rei Curio
permotus praemittit equites, qui primum impetum sus-
tineant ac morentur ; ipse, celeriter ab opere deductis
legionibus, aciem instruit. Equites committunt proelium ;
et prius, quam plane legiones explicari et consistere possent, tota auxilia regis impedita ac perturbata, quod nullo
ordine et sine timore iter fecerant, in fugam coniciunt.

vestigium temporis: an instant.

42. *Daedalus, detained by Minos in Crete, plans escape.*

'Sit modus exilio,' dixit 'iustissime Minos;
　accipiat cineres terra paterna meos.
et quoniam in patria, fatis agitatus iniquis,
　vivere non potui, da mihi posse mori.'
dixerat haec, sed et haec et multo plura licebat
　dicere : regressus non dabat ille viro.
quod simul ac sensit, 'nunc, o nunc, Daedale' dixit
　'materiam qua sis ingeniosus habes.
possidet, en, terras et possidet aequora Minos :
　nec tellus nostrae nec patet unda fugae.
restat iter caeli : caelo tentabimus ire !
　da veniam coepto, Iuppiter alte, meo.'
　　ingeniosus : clever, ingenious ; *venia :* pardon.

43. *Fabius's legions imperilled by a flood.*

Fabius finitimarum civitatum animos litteris nuntiis-
que temptabat.　In Sicore flumine pontes effecerat duos
distantes inter se milia passuum quattuor.　His pontibus
pabulatum mittebat, quod ea quae citra flumen fuerant
superioribus diebus consumpserat.　Hoc idem fere atque
eadem de causa Pompeiani exercitus duces faciebant,
crebroque inter se equestribus proeliis contendebant.
Huc cum cotidiana consuetudine egressae pabulatoribus
praesidio propiore ponte legiones Fabianae duae flumen
transissent impedimentaque et omnis equitatus sequeretur, subito vi ventorum et aquae magnitudine pons est
interruptus et reliqua multitudo equitum interclusa.　Quo
cognito, celeriter suo ponte Afranius, quem oppido castrisque coniunctum habebat, legiones IV equitatumque omnem
traiecit duabusque Fabianis occurrit legionibus.

44. *Aeneas goes out for the last battle with Turnus.*

Haec ubi dicta dedit, portis sese extulit ingens
telum immane manu quatiens ; simul agmine denso

Antheusque Mnestheusque ruunt, omnisque relictis
turba fluit castris.   tum caeco pulvere campus
miscetur pulsuque pedum tremit excita tellus.
vidit ab adverso venientis aggere Turnus,
videre Ausonii, gelidusque per ima cucurrit
ossa tremor; prima ante omnis Iuturna Latinos
audiit agnovitque sonum et tremefacta refugit.
ille volat campoque atrum rapit agmen aperto,
qualis ubi ad terras abrupto sidere nimbus
it mare per medium (miseris, heu, praescia longe
horrescunt corda agricolis : dabit ille ruinas
arboribus stragemque satis, ruet omnia late),
ante volant sonitumque ferunt ad litora venti.

45. *The enemy take the offensive.*

Palus erat non magna inter nostrum atque hostium
exercitum.   Hanc si nostri transirent, hostes expecta-
bant; nostri autem, si ab illis initium transeundi fieret,
ut impeditos aggrederentur, parati in armis erant.
Interim proelio equestri inter duas acies contendebatur.
Ubi neutri transeundi initium faciunt, secundiore equitum
proelio nostris, Caesar suos in castra reduxit.   Hostes
protinus ex eo loco ad flumen Axonam contenderunt,
quod esse post nostra castra demonstratum est.   Ibi vadis
repertis, partem suarum copiarum traducere conati sunt,
eo consilio, ut, si possent, castellum, cui praeerat Q.
Titurius legatus, expugnarent, pontemque interscinde-
rent; si minus potuissent, agros Remorum popularentur,
qui magno nobis usui ad bellum gerendum erant, com-
meatuque nostros prohiberent.

46. *The Roman consul unable to come to a decision finds himself superseded.*

Consul per Charopum Epiroten certior factus, quos
saltus cum exercitu insedisset rex, et ipse, cum Corcyrae
hibernasset, vere primo in continentem travectus ad

hostem ducere pergit. Quinque milia ferme ab regiis
castris cum abesset, loco munito relictis legionibus ipse
cum expeditis progressus ad speculanda loca postero die
consilium habuit, utrum per insessum ab hoste saltum,
quamquam labor ingens periculumque proponeretur,
transitum temptaret, an eodem itinere, quo priore anno
Sulpicius Macedoniam intraverat, circumduceret copias.
Hoc consilium per multos dies agitanti ei nuntius venit
T. Quinctium consulem factum sortitumque provinciam
Macedoniam maturato itinere iam Corcyram traiecisse.

sortior : obtain by lot.

47. *Alcyone finds the body of Ceyx washed ashore.*

Mane erat : egreditur tectis ad litus, et illum
maesta locum repetit, de quo spectarat euntem.
dumque ' moratus ibi est ', dumque ' hic retinacula solvit ',
' hoc mihi discedens dedit oscula litore ' dicit,
dumque notata oculis reminiscitur acta, fretumque
prospicit, in liquida, spatio distante, tuetur
nescioquid quasi corpus aqua : primoque quid illud
esset erat dubium : postquam paulum appulit unda,
et quamuis aberat, corpus tamen esse liquebat,
qui foret ignorans, quia naufragus, omine mota est.

retinaculum : cable ; *tueor* : watch ; *liquet* : it is clear.

48. *Death of Flaminius at Lake Trasimene.*

Tres ferme horas pugnatum est, et ubique atrociter ;
circa consulem tamen acrior infestiorque pugna est. Eum
et robora virorum sequebantur et ipse, quacumque in
parte premi ac laborare senserat suos, impigre ferebat
opem ; insignemque armis et hostes summa vi petebant
et tuebantur cives, donec Insuber eques—Ducario nomen
erat—facie quoque noscitans consulem ' En ', inquit,
' hic est ', popularibus suis, ' qui legiones nostras cecidit
agrosque et urbem est depopulatus ! Iam ego hanc
victimam manibus peremptorum foede civium dabo ; '

subditisque calcaribus equo per confertissimam hostium
turbam impetum facit, obtruncatoque prius armigero, qui
se infesto venienti obviam obiecerat, consulem lancea
transfixit; spoliare cupientem triarii obiectis scutis arcuere.

triarii : soldiers of the third line.

49. *A winter invasion.*

His rebus comparatis, represso iam Lucterio et remoto,
quod intrare intra praesidia periculosum putabat, in Hel-
vios proficiscitur. Etsi mons Cebenna, qui Arvernos ab
Helviis discludit, durissimo tempore anni altissima nive
iter impediebat, tamen discussa nive sex in altitudinem
pedum atque ita viis patefactis, summo militum sudore ad
fines Arvernorum pervenit. Quibus oppressis inopinan-
tibus, quod se Cebenna ut muro munitos existimabant,
ac ne singulari quidem unquam homini eo tempore anni
semitae patuerant, equitibus imperat ut quam latissime
possint vagentur, et quam maximum hostibus terrorem
inferant. Celeriter haec fama ac nuntiis ad Vercinge-
torigem perferuntur.

50. *Hypsipyle recalls Jason's departure from Lemnos on the Argo.*

Tertia messis erat, cum tu dare vela coactus
    implesti lacrimis talia verba tuis :
'abstrahor, Hypsipyle : sed dent modo fata recursus,
    vir tuus hinc abeo, vir tibi semper ero.'
ultimus e sociis sacram conscendis in Argon :
    illa volat ; ventus concava vela tenet ;
caerula propulsae subducitur unda carinae ;
    terra tibi, nobis aspiciuntur aquae.
in latus omne patens turris circumspicit undas ;
    huc feror, et lacrimis osque sinusque madent.

51. *Flamininus proclaims the freedom of Greece.*

Philippo enim Macedonum rege superato, cum ad
Isthmicum spectaculum tota Graecia convenisset, T.

Quintius Flamininus, tubae signo silentio facto, per prae-
conem haec verba recitari iussit : 'Senatus Populusque
Romanus et T. Quintius Flamininus imperator omnes
Graeciae urbes quae sub dicione Philippi regis fuerunt
liberas atque immunes esse iubet.' Quibus auditis,
maximo et inopinato gaudio homines perculsi primo
veluti non audisse se quae audierant credentes obticue-
runt. Iterata deinde pronuntiatione praeconis, tanta caelum clamoris alacritate compleverunt ut certo constat
aves quae supervolabant attonitas paventesque decidisse.

dicio: rule ; *immunis:* exempt from tribute ; *percello:* thrill ;
obticesco: be struck dumb.

52. *Caesar's account of Britain.*

Ex his omnibus longe sunt humanissimi qui Cantium
incolunt, quae regio est maritima omnis, neque multum
a Gallica differunt consuetudine. Interiores plerique fru-
menta non serunt, sed lacte et carne vivunt pellibusque
sunt vestiti. Omnes vero se Britanni vitro inficiunt, quod
caeruleum efficit colorem, atque hoc horridiores sunt in
pugna aspectu ; capilloque sunt promisso, atque omni
parte corporis rasa praeter caput et labrum superius.
Uxores habent deni duodenique inter se communes, et
maxime fratres cum fratribus parentesque cum liberis.

53. *Aeneas's return raises the siege of the Trojan camp.*

                Interea revoluta ruebat
matura iam luce dies, noctemque fugarat.
principio sociis edicit, signa sequantur,
atque animos aptent armis, pugnaeque parent se.
iamque in conspectu Teucros habet et sua castra,
stans celsa in puppi ; clipeum cum deinde sinistra
extulit ardentem. clamorem ad sidera tollunt
Dardanidae e muris ; spes addita suscitat iras :

tela manu iaciunt : quales sub nubibus atris
Strymoniae dant signa grues, atque aethera tranant
cum sonitu, fugiuntque notos clamore secundo.
at Rutulo regi ducibusque ea mira videri
Ausoniis, donec versas ad litora puppis
respiciunt, totumque adlabi classibus aequor.

grus : crane.

54. *The Roman and Macedonian forces come into contact with each other.*

Quinctius postero die vallum secum ferente milite, ut
paratus omni loco castris ponendis esset, progressus
modicum iter sex ferme milia a Pheris cum consedisset,
speculatum, in qua parte Thessaliae hostis esset quidve
pararet, misit.   Circa Larissam erat rex.   Certior iam
factus Romanum ab Thebis Pheras movisse, defungi
quam primum et ipse certamine cupiens ducere ad hostem
pergit et quattuor milia fere a Pheris posuit castra.   Inde
postero die cum expediti utrimque ad occupandos super
urbem tumulos processissent, pari ferme intervallo ab
iugo, quod capiendum erat, cum inter se conspecti essent,
constiterunt, nuntios in castra remissos, qui, quid sibi,
quoniam praeter spem hostis occurrisset, faciendum esset,
consulerent, quieti opperientes.   Et illo quidem die nullo
inito certamine in castra revocati sunt ; postero die circa
eosdem tumulos equestre proelium fuit, in quo non minimum Aetolorum opera regii fugati atque in castra compulsi sunt.

55. *Part of the story of Arion.*

Inde domum repetens puppim conscendit Arion,
     atque ita quaesitas arte ferebat opes.
forsitan, infelix, ventos undasque timebas ;
     at tibi nave tua tutius aequor erat.
namque gubernator destricto constitit ense,
     ceteraque armata conscia turba manu.

quid tibi cum gladio? dubiam rege, navita, puppim,
    non haec sunt digitis arma tenenda tuis.
ille metu pavidus 'mortem non deprecor' inquit,
    'sed liceat sumpta pauca referre lyra.'
dant veniam, ridentque moram; capit ille coronam
    quae possit crines, Phoebe, decere tuos.

56. *A mule causes a battle.*

Flumen erat haud magnum propius hostium castris, ex
quo et Macedones et Romani aquabantur, praesidiis ex
utraque ripa positis ut id facere tuto possent. Duae
cohortes a parte Romanorum erant et duae turmae
Samnitium equitum; et aliud pro castris stativum erat
praesidium sub C. Cluvio legato, tres cohortes, duae
turmae equitum. Cum otium ad flumen esset neutris
lacessentibus, hora circiter nona iumentum e manibus
curantium elapsum in ulteriorem ripam effugit. Quod
cum per aquam ferme genus tenus altam tres milites
sequerentur, Thraces duo id iumentum ex medio alveo
in suam ripam trahere conati sunt. Altero eorum occiso
receptoque iumento, Romani ad stationem suorum se
recipiebant. Octingentorum Thracum praesidium in
hostium ripa erat. Ex his pauci primo, aegre passi
popularem in suo conspectu caesum, ad persequendos
interfectores fluvium transgresssi sunt, dein plures,
postremo omnes.

    alveus: stream; *popularis*: fellow-countryman.

57. *Romulus and Remus are exposed on the Tiber.*

Huc ubi venerunt (nec enim procedere possunt
    longius), ex illis unus an alter ait:
'at quam sunt similes! at quam formosus uterque!
    plus tamen ex illis iste vigoris habet.
si genus arguitur vultu, nisi fallit imago,
    nescioquem vobis suspicor esse deum.

at si quis vestrae deus esset originis auctor,
   in tam praecipiti tempore ferret opem.
ferret opem certe, si non ope mater egeret,
   quae facta est uno mater et orba die.
nata simul, peritura simul, simul ite sub undas
   corpora.' desierat deposuitque sinu.

     egeo : need; *orbus :* childless, bereft.

58. *A Numidian attack is easily repelled.*

Romani ex improviso pulveris vim magnam animad-
vertunt, nam prospectum ager arbustis consitus prohibebat; et primo rati humum aridam vento agitari post ubi
aequabilem manere, et sicuti acies movebatur magis
magisque adpropinquare vident, cognita re properantes
arma capiunt, ac pro castris, sicuti imperabatur, consistunt. Deinde ubi propius ventum est, utrimque magno
clamore concurritur. Numidae tantummodo remorati,
dum in elephantis auxilium putant, postquam eos impeditos ramis arborum atque ita disiectos circumveniri
vident, fugam faciunt, ac plerique, abiectis armis, collis
aut noctis, quae iam aderat, auxilio integri abeunt.

59. *The deified Romulus, now Quirinus, appears to Julius Proculus.*

Pulcher et humano maior trabeaque decorus
   Romulus in media visus adesse via,
et dixisse simul 'prohibe lugere Quirites,
   nec violent lacrimis numina nostra suis.
tura ferant placentque novum pia turba Quirinum,
   et patrias artes militiamque colant.'
iussit et in tenues oculis evanuit auras.
   convocat hic populos iussaque verba refert.
templa deo fiunt. collis quoque dictus ab illo est,
   et referunt certi sacra paterna dies.

     trabea : robe of state.

60. *Labienus urges Pompey to fight.*

'Noli', inquit, 'existimare, Pompei, hunc esse exercitum, qui Galliam Germaniamque devicerit. Omnibus interfui proeliis, neque temere incognitam rem pronuntio. Perexigua pars illius exercitus superest; magna pars deperiit, quod accidere tot proeliis fuit necesse: multos autumni pestilentia in Italia consumpsit; multi domum discesserunt; multi sunt relicti in continenti. An non exaudistis ex iis, qui per causam valetudinis remanserunt, cohortes esse Brundisi factas ? Hae copiae quas videtis, ex dilectibus horum annorum in citeriore Gallia sunt refectae, et plerique sunt ex coloniis Transpadanis. Ac tamen, quod fuit roboris, duobus proeliis Dyrrhacinis interiit.' Haec cum dixisset, iuravit se nisi victorem in castra non reversurum, reliquosque ut idem facerent, hortatus est.

61. '*Old Time is still a-flying.*'

Venturae memores iam nunc estote senectae :
    sic nullum vobis tempus abibit iners.
dum licet, et vernos etiamnum ducitis annos,
    ludite; eunt anni more fluentis aquae.
nec quae praeteriit iterum revocabitur unda,
    nec quae praeteriit hora redire potest.
utendum est aetate : cito pede labitur aetas,
    nec bona tam sequitur, quam bona prima fuit.

62. *Gallic invaders argue before the Senate.*

Dum haec in Macedonia geruntur, consules in provincias profecti. Marcellus nuntium praemisit ad L. Porcium proconsulem, ut ad novum Gallorum oppidum legiones admoveret : advenienti consuli Galli sese dediderunt. Duodecim milia armatorum erant : plerique arma ex agris rapta habebant : ea aegre patientibus iis adempta, et quae alia aut populantes agros rapuerant aut secum

attulerant. De his rebus qui quererentur legatos Romam
miserunt. Introducti in senatum a C. Valerio praetore
exposuerunt se superante in Gallia multitudine inopia
coactos agri et egestate ad quaerendam sedem Alpes
transgressos, quae inculta per solitudines viderent, ibi sine
ullius iniuria consedisse. Oppidum quoque aedificare
coepisse, quod indicium esset nec agro nec urbi ulli vim
adlaturos venisse.

63. *Catiline encourages his men before battle.*

' Nam in fuga salutem sperare, cum arma quibus corpus
tegitur ab hostibus averteris, ea vero dementia est.
Semper in proelio iis maximum est periculum qui maxime
timent : audacia pro muro habetur. Cum vos considero,
milites, et cum facta vestra aestimo, magna me spes
victoriae tenet : animus, aetas, virtus vestra me hortantur ;
praeterea necessitudo, quae etiam timidos fortes facit.
Nam multitudo hostium ne circumvenire queat, prohibent
angustiae loci. Quod si virtuti vestrae fortuna inviderit,
cavete inulti animam amittatis ; neu capti potius sicut
pecora trucidemini, quam virorum more pugnantes
cruentam atque luctuosam victoriam hostibus relin-
quatis.'

64. *Ovid is content with the modern world.*

Simplicitas rudis ante fuit : nunc aurea Roma est
    et domiti magnas possidet orbis opes.
aspice quae nunc sunt Capitolia, quaeque fuerunt :
    alterius dices illa fuisse Iovis.
curia consilio nunc est dignissima tanto :
    de stipula Tatio regna tenente fuit.
quae nunc sub Phoebo ducibusque Palatia fulgent,
    quid nisi araturis pascua bubus erant ?
prisca iuvent alios ; ego me nunc denique natum
    gratulor : haec aetas moribus apta meis.

    curia : senate-house ; *stipula :* straw, thatch.

65. *An attack repelled.*

Interim barbari nuntios in omnes partes dimiserunt,
paucitatemque nostrorum militum suis praedicaverunt,
et quanta praedae faciendae atque in perpetuum sui libe-
randi facultas daretur, si Romanos castris expulissent, de-
monstraverunt. His rebus celeriter magna multitudine
peditatus equitatusque coacta, ad castra venerunt. Caesar
etsi idem, quod superioribus diebus acciderat, fore videbat, ut, si essent hostes pulsi, celeritate periculum effuge-
rent, tamen nactus equites circiter triginta, quos Commius
Atrebas, de quo ante dictum est, secum transportaverat,
legiones in acie pro castris constituit. Commisso proelio,
diutius nostrorum militum impetum hostes ferre non
potuerunt, ac terga verterunt. Quos tanto spatio secuti,
quantum cursu et viribus efficere potuerunt, complures ex
iis occiderunt, deinde, omnibus longe lateque aedificiis
incensis, se in castra receperunt.

66. *A precious work of art is restored to Segesta.*

Segesta est oppidum pervetus in Sicilia, iudices, quod
ab Aenea fugiente a Troia atque in haec loca veniente
conditum esse demonstrant. Itaque Segestani non solum
perpetua societate atque amicitia, verum etiam cogna-
tione se cum populo Romano coniunctos esse arbitrantur.
Hoc quondam oppidum, cum illa civitas cum Poenis suo
nomine ac sua sponte bellaret, a Carthaginiensibus vi
captum atque deletum est, omniaque, quae ornamento
urbi esse possent, Carthaginem sunt ex illo loco deportata.
Fuit apud Segestanos ex aere Dianae simulacrum cum
summa atque antiquissima praeditum religione, tum
singulari opere artificioque perfectum. Hoc translatum
Carthaginem locum tantum hominesque mutarat, religionem quidem pristinam conservabat; nam propter
eximiam pulchritudinem etiam hostibus digna, quam
sanctissime colerent, videbatur. Aliquot saeculis post

P. Scipio Carthaginem cepit; qua in victoria convocatis
Siculis omnibus, quod diutissime saepissimeque Siciliam
vexatam a Carthaginiensibus esse cognorat, iubet omnia
conquiri; pollicetur sibi magnae curae fore, ut omnia civi-
tatibus, quae cuiusque fuissent, restituerentur. Illo tempore Segestanis maxima cum cura haec ipsa Diana, de
qua dicimus, redditur.

67. *Dido's message to Aeneas, as she kills herself
with the sword he gave her.*

Aspicias utinam, quae sit scribentis imago:
    scribimus, et gremio Troicus ensis adest,
perque genas lacrimae strictum labuntur in ensem,
    qui iam pro lacrimis sanguine tinctus erit.
quam bene conveniunt fato tua munera nostro!
    instruis impensa nostra sepulcra brevi.
nec mea nunc primum feriuntur pectora telo;
    ille locus saevi vulnus amoris habet.
nec consumpta rogis inscribar Elissa Sychaei,
    hoc tamen in tumuli marmore carmen erit:
'praebuit Aeneas et causam mortis et ensem;
    ipsa sua Dido concidit usa manu.'
    genae: cheeks; *impensa:* expense; *rogus:* pyre.

68. *Adherbal hard pressed by Jugurtha decides
to invoke the help of Rome.*

Iugurtha, ubi eos Africa decessisse ratus est, neque
propter loci naturam Cirtam armis expugnare potest, vallo
atque fossa moenia circumdat, turres exstruit, easque
praesidiis firmat: praeterea dies noctesque, aut per vim
aut dolis, tentare; defensoribus moenium praemia modo,
modo formidinem ostentare; suos hortando ad virtutem
erigere; prorsus intentus omnia parare. Adherbal ubi
intellegit omnes suas fortunas in extremo sitas, hostem
infestum, auxilii spem nullam, penuria rerum necessaria-
rum bellum trahi non posse, ex his, qui una Cirtam

profugerant, duo maxime impigros delegit, eos multa pollicendo ac miserando casum suum confirmat, uti per hostium munitiones noctu ad proximum mare, dein Romam pergerent. Numidae paucis diebus iussa efficiunt.

69. *Athenian religious scruples.*

Athenienses Protagoram philosophum pepulerunt, quia scribere ausus fuerat 'primum ignorare se an di essent : deinde, si sint, quales sint'. Idem Socratem damnaverunt, quod novam religionem introducere videbatur. Idem Phidiam tulerunt, quamdiu is 'marmore potius quam ebore Minervam fieri debere' dicebat, quod diutius nitor esset mansurus : sed ut adiecit 'et vilius' tacere iusserunt.

Diomedon, unus ex decem ducibus qui Arginusae eadem pugna Atheniensibus victoriam, sibi vero damnationem pepererunt, cum iam ad immeritum supplicium duceretur, nihil aliud locutus est quam 'ut vota pro incolumitate exercitus ab ipso nuncupata solverentur'.

vilis : cheap; *nuncupo :* offer (vows).

70. *A house of mourning.*

Sic ait illacrimans, recipitque ad limina gressum,
corpus ubi exanimi positum Pallantis Acoetes
servabat senior, qui Parrhasio Euandro
armiger ante fuit, sed non felicibus aeque
tum comes auspiciis caro datus ibat alumno.
circum omnis famulumque manus Troianaque turba,
et maestum Iliades crinem de more solutae.
ut vero Aeneas foribus sese intulit altis,
ingentem gemitum tunsis ad sidera tollunt
pectoribus, maestoque immugit regia luctu.
ipse caput nivei fultum Pallantis et ora
ut vidit levique patens in pectore vulnus
cuspidis Ausoniae, lacrimis ita fatur obortis.

71. *How Caesar informed a beleaguered garrison of his march to their relief.*

Venit magnis itineribus in Nerviorum fines. Ibi ex captivis cognoscit quae apud Ciceronem gerantur, quantoque in periculo res sit. Tum cuidam ex equitibus Gallis magnis praemiis persuadet uti ad Ciceronem epistulam deferat. Hanc Graecis conscriptam litteris mittit, ne, intercepta epistula, nostra ab hostibus consilia cognoscantur. Si adire non possit, monet, ut tragulam cum epistula ad amentum deligata intra munitionem castrorum abiciat. In litteris scribit se cum legionibus profectum celeriter adfore ; hortatur ut pristinam virtutem retineat. Gallus periculum veritus, ut erat praeceptum, tragulam mittit. Haec casu ad turrim adhaesit, neque ab nostris biduo animadversa tertio die a quodam milite conspicitur, dempta ad Ciceronem defertur. Ille perlectam in conventu militum recitat, maximaque omnes laetitia afficit. Tum fumi incendiorum procul videbantur ; quae res omnem dubitationem adventus legionum expulit.

tragula : javelin ; *amentum :* thong (for throwing javelin).

72. *Murder of an ex-consul.*

A. d. x. Kal. Iun., cum ab Epidauro Piraeum navi advectus essem, ibi M. Marcellum, collegam nostrum, conveni, eumque diem ibi consumpsi, ut cum eo essem. Postero die, cum ab eo digressus essem, eo consilio ut ab Athenis in Boeotiam irem, ille, uti aiebat, in Italiam navigaturus erat. Postridie eius diei, cum ab Athenis proficisci in animo haberem, circiter hora decima noctis P. Postumius, familiaris eius, ad me venit, et mihi nuntiavit M. Marcellum, collegam nostrum, post cenae tempus a P. Magio Cilone, familiari eius, pugione percussum esse et duo vulnera accepisse, unum in stomacho, alterum in capite secundum aurem ; sperari tamen eum vivere posse ; Magium se ipsum interfecisse postea ; se a

Marcello ad me missum esse, qui haec nuntiaret et rogaret uti medicos cogerem. Coegi, et e vestigio eo sum profectus prima luce. Cum non longe a Piraeo abessem, puer Acidini obviam mihi venit cum litteris, in quibus erat scriptum paulo ante lucem Marcellum diem suum obisse.

e vestigio : instantly.

73. *The Fall of Icarus.*

Tabuerant cerae. nudos quatit ille lacertos,
    et trepidat, nec quo sustineatur habet.
decidit, atque cadens 'pater, o pater, auferor !' inquit.
    clauserunt virides ora loquentis aquae.
at pater infelix, nec iam pater, 'Icare !' clamat,
    'Icare' clamat 'ubi es, quove sub axe volas ?'
'Icare !' clamabat : pinnas aspexit in undis ;
    ossa tegit tellus : aequora nomen habent.

tabesco : melt.

74. *There is no alternative to battle.*

Exercitus hostium duo, unus ab urbe, alter a Gallia obstant : diutius in his locis esse, si maxime animus ferat, frumenti atque aliarum rerum egestas prohibet. Quocumque ire placet, ferro iter aperiendum est. Quapropter vos moneo uti forti atque parato animo sitis ; et cum proelium inibitis memineritis vos divitias, decus, gloriam, praeterea libertatem atque patriam in dextris portare. Si vincimus, omnia nobis tuta erunt ; commeatus abunde, coloniae atque municipia patebunt : sin metu cesserimus, eadem illa adversa fient ; neque locus, neque amicus quisquam teget quem arma non texerint.

commeatus: supplies.

75. *Tactics of the Gauls.*

At barbaris consilium non defuit. Nam duces eorum tota acie pronuntiare iusserunt, ne quis ab loco discederet: illorum esse praedam atque illis reservari, quaecumque

Romani reliquissent: proinde omnia in victoria posita
existimarent.   Erant et virtute et numero pugnando pares
nostri. Tametsi ab duce et a fortuna deserebantur, tamen
omnem spem salutis in virtute ponebant, et quotiens
quaeque cohors procurreret, ab ea parte magnus numerus hostium cadebat.   Qua re animadversa, Ambiorix
pronuntiari iubet ut procul tela coniciant, neu propius
accedant, et, quam in partem Romani impetum fecerint,
cedant: levitate armorum et quotidiana exercitatione
nihil iis noceri posse: rursus se ad signa recipientes
insequantur.

76. *How Brutus interpreted the oracle.*

Ecce, nefas visu, mediis altaribus anguis
    exit et exstinctis ignibus exta rapit.
consulitur Phoebus.   sors est ita reddita: 'matri
    qui dederit princeps oscula, victor erit.'
oscula quisque suae matri properata tulerunt,
    non intellecto credula turba deo.
Brutus erat stulti sapiens imitator, ut esset
    tutus ab insidiis, dire Superbe, tuis.
ille iacens pronus matri dedit oscula Terrae,
    creditus offenso procubuisse pede.

      exta: sacrificial meats.

77. *Caesar's account of Druids.*

Sed de his duobus generibus alterum est Druidum, alterum equitum.   Illi rebus divinis intersunt, sacrificia
publica ac privata procurant, religiones interpretantur:
ad eos magnus adulescentium numerus disciplinae causa
concurrit, magnoque hi sunt apud eos honore. Nam fere
de omnibus controversiis publicis privatisque constituunt,
et, si quod est admissum facinus, si caedes facta, si de
hereditate, si de finibus controversia est, idem decernunt,
praemia poenasque constituunt; si qui aut privatus aut
publicus eorum decreto non stetit, sacrificiis interdicunt.

haec poena apud eos est gravissima : quibus ita est interdictum, hi numero impiorum ac sceleratorum habentur.

78. *Ajax and Ulysses are rival claimants to the arms of Achilles : Ajax speaks :*

'Agimus, pro Iuppiter !' inquit
'ante rates causam, et mecum confertur Ulixes?
at non Hectoreis dubitavit cedere flammis,
quas ego sustinui, quas hac a classe fugavi.
tutius est igitur fictis contendere verbis
quam pugnare manu : quantumque ego marte feroci,
quantum acie valeo, tantum valet iste loquendo.
nec memoranda tamen vobis mea facta, Pelasgi,
esse reor : vidistis enim : sua narret Ulixes,
quae sine teste gerit, quorum nox conscia sola est.'

confero : compare.

79. *Cato's march to attack the Spanish camp.*

Nocte media, cum auspicio operam dedisset, profectus, ut locum quem vellet, priusquam hostes sentirent, caperet, praeter castra hostium circumducit, et prima luce acie instructa sub ipsum vallum tres cohortes mittit. Mirantes barbari ab tergo apparuisse Romanum discurrere ipsi ad arma. Interim consul apud suos 'Nusquam nisi in virtute spes est, milites', inquit, ' et ego sedulo, ne esset, feci. Inter castra nostra et nos medii hostes et ab tergo hostium ager est. Quod pulcherrimum idem tutissimum : in virtute spem positam habere.' Sub haec cohortes recipi iubet, ut barbaros simulatione fugae eliceret. Id quod crediderat evenit. Pertimuisse et cedere rati Romanos porta erumpunt et, quantum inter castra sua et aciem hostium relictum erat loci, armatis complent.

80. *A magic ring.*

Nobis, si modo in philosophia aliquid profecimus, persuasum esse debet, si omnes deos hominesque celare possimus, nihil tamen avare, nihil iniuste, nihil libidinose,

nihil incontinenter esse faciendum. Hinc ille Gyges
inducitur a Platone, qui, cum terra discessisset magnis
quibusdam imbribus, descendit in illum hiatum aene-
umque equum, ut ferunt fabulae, animadvertit, cuius in
lateribus fores essent : quibus apertis corpus hominis
mortui vidit magnitudine inusitata, anulumque aureum
in digito, quem ut detraxit, ipse induit—erat autem regius
pastor,—tum in concilium se pastorum recepit. Ibi cum
palam eius anuli ad palmam converterat a nullo videbatur,
ipse autem omnia videbat ; idem rursus videbatur, cum
in locum anulum inverterat. Itaque hac opportunitate
anuli usus regem dominum interemit, sustulitque quos
obstare arbitrabatur, nec in his eum facinoribus quisquam
potuit videre : sic repente anuli beneficio rex exortus est
Lydiae.

hiatus : cleft, fissure ; *pala :* bezel (of a ring).

81. *Paris relates the judgement story.*

Ecce pedum pulsu visa est mihi terra moveri :—
    vera loquar, veri vix habitura fidem :
constitit ante oculos, actus velocibus alis,
    Atlantis magni Pleionesque nepos.
fas vidisse fuit : fas sit mihi visa referre :—
    inque dei digitis aurea virga fuit.
tresque simul divae, Venus et cum Pallade Iuno,
    graminibus teneros imposuere pedes.
obstipui, gelidusque comas erexerat horror :
    cum mihi ' pone metum ' nuntius ales ait.
' arbiter es formae : certamina siste dearum,
    vincere quae forma digna sit una duas.'

virga : wand.

82. *The immortality of the soul.*

Apud Xenophontem autem moriens Cyrus maior haec
dicit : ' Nolite arbitrari, o mei carissimi filii, me, cum a
vobis discessero, nusquam aut nullum fore ; nec enim,

dum eram vobiscum, animum meum videbatis, sed eum
esse in hoc corpore ex iis rebus quas gerebam intelle-
gebatis: eundem igitur esse creditote, etiam si nullum
videbitis. Mihi quidem persuaderi nunquam potuit animos, dum in corporibus essent mortalibus, vivere, cum
excessissent ex eis, emori; nec vero tum animum esse
insipientem, cum ex insipienti corpore evasisset, sed, cum
omni admixtione corporis liberatus purus et integer esse
coepisset, tum esse sapientem. Atque etiam, cum hominis natura morte dissolvitur, ceterarum rerum perspicuum
est quo quaeque discedat; abeunt enim illuc omnia, unde
orta sunt: animus autem solus nec cum adest nec cum
discedit adparet. Iam vero videtis nihil esse morti tam
simile quam somnum; atqui dormientium animi maxime
declarant divinitatem suam; multa enim, cum remissi et
liberi sunt, futura prospiciunt: ex quo intellegitur quales
futuri sint, cum se plane corporis vinculis relaxaverint.

83. *Hercules wears the poisoned shirt.*

Tura dabat primis et verba precantia flammis,
vinaque marmoreas patera fundebat in aras:
incaluit vis illa mali, resolutaque flammis
Herculeos abiit late diffusa per artus.
dum potuit, solita gemitum virtute repressit.
victa malis postquam est patientia, reppulit aras,
implevitque suis nemorosam vocibus Oeten.
nec mora: letiferam conatur scindere vestem:
qua trahitur, trahit illa cutem: foedumque relatu,
aut haeret membris frustra tentata revelli,
aut laceros artus et grandia detegit ossa.

tus: incense; *patera:* bowl; *cutis:* skin.

84. *A Roman victory in Spain.*

Cum hoc modo instructi starent, imperatorum utriusque
partis haud ferme dispares spes erant: nam ne multum
quidem aut numero aut genere militum hi aut illi prae-

stabant : militibus longe dispar animus erat. Romanis
enim, quamquam procul a patria pugnarent, facile per-
suaserant duces pro Italia atque urbe Romana eos pugnare;
itaque obstinaverant animis vincere aut mori. Minus
pertinaces viros habebat altera acies, nam maxima pars
Hispani erant, qui vinci in Hispania quam victores in
Italiam trahi malebant. Primo igitur concursu, cum vix
pila coniecta essent, rettulit pedem media acies, inferen-
tibusque se magno impetu Romanis vertit terga. Nihilo
segnius in cornibus proelium fuit. Hinc Poenus, hinc
Afer urget ; sed cum in medium tota iam coisset Romana
acies, satis virium ad dimovenda hostium cornua habuit :
ita duo diversa proelia erant. Utroque Romani, ut qui
pulsis iam ante mediis et numero et robore virorum
praestarent, haud dubie superant.

85. *Jugurtha prepares for battle and harangues his troops.*

Igitur in eo colle Iugurtha extenuata suorum acie
consedit ; elephantis et parti copiarum pedestrium Bomil-
carem praefecit, eumque edocet quae ageret ; ipse propior
montem cum omni equitatu et peditibus delectis suos
collocat. Dein singulas turmas atque manipulos circum-
iens, monet atque obtestatur, 'Uti memores pristinae
virtutis et victoriae sese regnumque suum ab Romanorum
avaritia defendant : cum eis certamen fore, quos antea
victos sub iugum miserint : ducem illis, non animum
mutatum : quae ab imperatore decuerint, omnia suis
provisa ; locum superiorem, uti prudentes cum imperitis,
ne pauciores cum pluribus, aut rudes cum bello meliori-
bus manum consererent; proinde parati intentique essent,
signo dato, Romanos invadere ; illum diem aut omnes
labores et victorias confirmaturum, aut maximarum aerum-
narum initium fore.'

aerumna : trouble, anxiety.

86. *Ovid is not a soldier, but he serves Augustus just as much in his own way.*

Haec mea militia est ; ferimus quae possumus arma,
    dextraque non omni munere nostra vacat.
si mihi non valido torquentur pila lacerto,
    nec bellatoris terga premuntur equi,
nec galea tegimur, nec acuto cingimur ense
    (his habilis telis quilibet esse potest) :
at tua prosequimur studioso pectore, Caesar,
    nomina, per titulos ingredimurque tuos.
ergo ades, et placido paulum mea munera vultu
    respice, pacando si quid ab hoste vacat.

      vaco : (a) lack, (b) impers. ' there is time to spare ' ;
           habilis : skilled.

87. *Galba describes to Cicero his experiences at the battle of Mutina, 43 B.C.*

Primo ita pugnatum est ut acrius non posset ex utraque
parte pugnari ; etsi dexterius cornu, in quo ego eram cum
Martiae legionis cohortibus octo, impetu primo fugaverat
legionem xxxv Antoni, ut amplius mille passus ultra aciem,
quo loco steterat, processerit. Itaque cum equites nostrum cornu circumire vellent, recipere me coepi, et levem
armaturam opponere Maurorum equitibus, ne aversos
nostros aggrederentur. Interim video me esse inter An-
tonianos, Antoniumque post me esse aliquanto : repente
equum inmisi ad eam legionem tironum, quae veniebat
ex castris, scuto reiecto. Antoniani me insequi ; nostri
pila conicere velle : ita nescio quo fato sum servatus, quod
sum cito a nostris cognitus. Cornu sinisterius, quod erat
infirmius, ubi Martiae legionis duae cohortes erant et
cohors praetoria, pedem referre coeperunt, quod ab equitatu circumibantur, quo vel plurimum valet Antonius.
Cum omnes se recepissent nostri ordines, recipere me
novissimus coepi ad castra.

88. *After renewing Aeson's youth by magic, Medea persuades the daughters of Pelias to kill their father with the same intent.*

Ter iuga Phoebus equis, in Ibero gurgite mersis,
dempserat, et quarta radiantia nocte micabant
sidera ; cum rapido fallax Aeetias igni
imponit purum laticem et sine viribus herbas.
iamque neci similis, resoluto corpore, regem
et cum rege suo custodes somnus habebat,
quem dederant cantus magicaeque potentia linguae.
intrarant iussae cum Colchide limina natae,
ambierantque torum. 'quid nunc dubitatis, inertes ?
stringite ' ait 'gladios, veteremque haurite cruorem,
ut repleam vacuas iuvenili sanguine venas.'

> *Aeetias :* Medea, daughter of Aeetes ; *latex :* water ;
> *torus :* bed.

89. ' *The attempt and not the deed confounds us.'*

Comprehensus est in templo Castoris servus P. Clodii, quem ille ad Cn. Pompeium interficiendum collocarat : extorta est confitenti sica de manibus : caruit foro postea Pompeius, caruit senatu, caruit publico : ianua se ac parietibus, non iure legum iudiciorumque texit. Num quae rogatio lata, num quae nova quaestio decreta est ? Atqui si res, si vir, si tempus ullum dignum fuit, certe haec in illa causa summa omnia fuerunt. Insidiator erat in foro collocatus atque in vestibulo ipso senatus ; ei viro autem mors parabatur, cuius in vita nitebatur salus civitatis ; eo porro rei publicae tempore, quo, si unus ille cecidisset, non haec solum civitas, sed gentes omnes concidissent. Nisi vero quia perfecta res non est, non fuit punienda, proinde quasi exitus rerum, non hominum consilia legibus vindicentur. Minus dolendum fuit re non perfecta, sed puniendum certe nihilo minus.

> *sica :* dagger.

90. *Aristaeus is told how to deal with Proteus.*

Verum ubi correptum manibus vinclisque tenebis,
tum variae eludent species atque ora ferarum.
fiet enim subito sus horridus atraque tigris
squamosusque draco et fulva cervice leaena,
aut acrem flammae sonitum dabit atque ita vinclis
excidet, aut in aquas tenues dilapsus abibit.
sed quanto ille magis formas se vertet in omnes
tam tu, nate, magis contende tenacia vincla,
donec talis erit mutato corpore, qualem
videris incepto tegeret cum lumina somno.

fulvus : tawny.

PART II

91–220

91. *Caesar's forces experience a check.*

Erat inter oppidum Ilerdam et proximum collem, ubi castra Petreius atque Afranius habebant, planities circiter passuum trecentorum, atque in hoc fere medio spatio tumulus erat paulo editior; quem si occupavisset Caesar et communivisset, ab oppido et ponte et commeatu omni, quem in oppidum contulerant, se interclusurum adversarios confidebat.   Hoc sperans legiones tres ex castris educit, acieque in locis idoneis instructa, unius legionis antesignanos procurrere, atque eum tumulum occupare iubet.   Qua re cognita, celeriter, quae in statione pro castris erant Afrani cohortes, breviore itinere ad eundem occupandum locum mittuntur.   Contenditur proelio, et, quod prius in tumulum Afraniani venerant, nostri repelluntur, atque, aliis submissis subsidiis, terga vertere, seque ad signa legionum recipere coguntur.

92. *Where Athenian manners failed.*

Lysandrum Lacedaemonium, cuius modo feci mentionem, dicere aiunt solitum Lacedaemonem esse honestissimum domicilium senectutis; nusquam enim tantum tribuitur aetati, nusquam est senectus honoratior. Quin etiam memoriae proditum est, cum Athenis ludis quidam in theatrum grandis natu venisset, in magno consessu locum nusquam ei datum a suis civibus; cum autem ad Lacedaemonios accessisset, qui, legati cum essent, certo in loco consederant, consurrexisse omnes illi dicuntur et senem sessum recepisse; quibus cum a cuncto consessu plausus esset multiplex datus, dixisse ex eis quendam 'Atheniensis scire quae recta essent sed facere nolle'.

93. *The eve of battle.*

Vix e conspectu exierat, campumque tenebat,
cum pater Aeneas, saltus ingressus apertos,

exsuperatque iugum, silvaque evadit opaca.
sic ambo ad muros rapidi totoque feruntur
agmine, nec longis inter se passibus absunt ;
ac simul Aeneas fumantes pulvere campos
prospexit longe, Laurentiaque agmina vidit :
et saevum Aenean agnovit Turnus in armis,
adventumque pedum flatusque audivit equorum.
continuoque ineant pugnas et proelia tentant :
ni roseus fessos iam gurgite Phoebus Hibero
tingat equos, noctemque die labente reducat.
considunt castris ante urbem, et moenia vallant.

94. *Philip's narrow escape.*

Versaque momento temporis fortuna pugnae est terga
dantibus, qui modo secuti erant. Multi comminus con-
gressi, multi fugientes interfecti ; nec ferro tantum periere,
sed in paludes quidam coniecti profundo limo cum
ipsis equis hausti sunt. Rex quoque in periculo fuit ;
nam ruente saucio equo praeceps ad terram datus, haud
multum afuit quin iacens opprimeretur. Saluti fuit
eques, qui raptim ipse desiluit pavidumque regem in
equum subiecit ; ipse, cum pedes aequare cursu fugientes
non posset equites, ab hostibus ad casum regis concitatis
confossus perit. Rex circumvectus paludes per vias
inviaque trepida fuga in castra tandem, iam desperantibus
plerisque incolumem evasurum, pervenit.

95. *Tarquin and the Sibyl.*

Anus quaedam incognita ad Tarquinium Superbum
regem adiit, novem libros ferens, quos esse dicebat
divina oracula : eos velle venumdare. Tarquinius pretium
percontatus est : mulier nimium atque immensum
poposcit. Rex, quasi anus aetate desiperet, derisit. Tum
illa foculum coram eo cum igni apposuit, et tres libros
ex novem deurit : et num reliquos sex eodem pretio
emere vellet regem interrogavit. Sed Tarquinius id

multo risit magis dixitque anum iam procul dubio delirare.
Mulier ibidem statim tres alios libros exussit, atque id
ipsum denuo placide rogavit, ut tres reliquos eodem illo
pretio emeret. Tarquinius ore iam serio atque attentiore
animo fit; eam constantiam confidentiamque non negli-
gendam intellegit: et libros tres reliquos mercatur nihilo
minore pretio, quam quod erat petitum pro omnibus. Sed
eam mulierem tunc a Tarquinio digressam postea nusquam
loci visam constitit.

96. *Evander's mother consoles him in exile.*

Cui genetrix flenti, 'fortuna viriliter', inquit,
  '(siste precor, lacrimas!) ista ferenda tibi est.
sic erat in fatis; nec te tua culpa fugavit,
  sed deus; offenso pulsus es urbe deo.
non meriti poenam pateris, sed numinis iram.
  est aliquid magnis crimen abesse malis.
conscia mens ut cuique sua est, ita concipit intra
  pectora pro facto spemque metumque suo.
nec tamen ut primus maere mala talia passus:
  obruit ingentes ista procella viros.
passus idem est Tydeus, et idem Pagasaeus Iason,
  et quos praeterea longa referre mora est.
omne solum forti patria est, ut piscibus aequor,
  ut volucri vacuo quicquid in orbe patet.
nec fera tempestas toto tamen horret in anno:
  et tibi (crede mihi!) tempora veris erunt.'

97. *The Reputation of Aristides.*

Interfuit autem pugnae navali apud Salamina, quae
facta est prius quam poena liberaretur. Idem praetor
fuit Atheniensium apud Plataeas in proelio, quo Mar-
donius fusus barbarorumque exercitus interfectus est.
Neque aliud est ullum huius in re militari illustre factum
quam huius imperii memoria, iustitiae vero et aequitatis
et innocentiae multa, in primis quod eius aequitate

factum est, cum in communi classe esset Graeciae simul cum Pausania ut summa imperii maritimi ab Lacedaemoniis transferretur ad Athenienses : namque ante id tempus et mari et terra duces erant Lacedaemonii. Tum autem et intemperantia Pausaniae et iustitia factum est Aristidis, ut omnes fere civitates Graeciae ad Atheniensium societatem se applicarent et adversus barbaros hos duces deligerent sibi.

98. *Hannibal after defeating the Romans in a cavalry skirmish crosses the Po.*

Hoc primum cum Hannibale proelium fuit, quo facile apparuit equitatu meliorem Poenum esse et ob id campos patentes, quales sunt inter Padum Alpesque, bello gerendo Romanis aptos non esse. Itaque proxima nocte, iussis militibus vasa silentio colligere, castra ab Ticino mota festinatumque ad Padum est, ut ratibus, quibus iunxerat flumen, nondum resolutis sine tumultu atque insectatione hostis copias traiceret. Prius Placentiam pervenere quam satis sciret Hannibal ab Ticino profectos : tamen ad sexcentos moratorum in citeriore ripa Padi segniter ratem solventes cepit. Transire pontem non potuit, ut extrema resoluta erant tota rate in secundam aquam labente. Caelius auctor est Magonem cum equitatu et Hispanis peditibus flumen extemplo tranasse, ipsum Hannibalem per superiora Padi vada exercitum traduxisse elephantis in ordinem ad sustinendum impetum fluminis oppositis.

99. *Aeneas seeks Latinus' friendship.*

Tum satus Anchisa delectos ordine ab omni
centum oratores augusta ad moenia regis
ire iubet, ramis velatos Palladis omnes,
donaque ferre viro, pacemque exposcere Teucris.
iamque iter emensi turres ac tecta Latinorum
ardua cernebant iuvenes muroque subibant.

ante urbem pueri et primaevo flore iuventus
exercentur equis, domitantque in pulvere currus,
aut acres tendunt arcus, aut lenta lacertis
spicula contorquent, cursuque ictuque lacessunt :
cum praevectus equo longaevi regis ad aures
nuntius ingentes ignota in veste reportat
advenisse viros.   ille intra tecta vocari
imperat, et solio medius consedit avito.

100. *The demands of the German envoys.*

Re frumentaria comparata, equitibusque delectis, iter
in ea loca facere coepit, quibus in locis esse Germanos
audiebat.   A quibus cum paucorum dierum iter abesset,
legati ab his venerunt, quorum haec fuit oratio: Germanos
neque priores populo Romano bellum inferre, neque tamen
recusare, si lacessantur, quin armis contendant, quod Ger-
manorum consuetudo haec sit a maioribus tradita, quicumque bellum inferant, resistere neque deprecari. Haec
tamen dicere, venisse invitos, eiectos domo ; si suam
gratiam Romani velint, posse iis utiles esse amicos ; vel
sibi agros adtribuant, vel patiantur eos tenere quos armis
possederint : sese unis Suebis concedere, quibus ne di
quidem immortales pares esse possint ; reliquum quidem
in terris esse neminem quem non superare possint.

deprecor : beg for terms.

101. *The Wolf and the Lamb.*

Ad rivum eundem Lupus et Agnus venerant,
siti compulsi : superior stabat Lupus,
longeque inferior Agnus : tunc fauce improba
latro incitatus iurgii causam intulit.
' cur ' inquit ' turbulentam fecisti mihi
aquam bibenti ?' Laniger contra timens :
' qui possum, quaeso, facere quod quereris, Lupe ?
a te decurrit ad meos haustus liquor.'
repulsus ille veritatis viribus,

'ante hos sex menses' ait 'maledixisti mihi.'
respondit Agnus : 'equidem natus non eram.'
' pater hercle tuus ' ille inquit ' maledixit mihi.'
atque ita correptum lacerat iniusta nece.

    haec propter illos scripta est homines fabula,
qui fictis causis innocentes opprimunt.

       iurgium : quarrel.

102. *Hannibal before leaving Spain to invade Italy grants furlough to the troops.*

Hannibal Sagunto capto Carthaginem Novam in hiberna
concesserat, ibique auditis, quae Romae quaeque Carthagine acta decretaque forent, seque non ducem solum
sed etiam causam esse belli, partitis divenditisque reliquiis
praedae nihil ultra differendum ratus, Hispani generis
milites convocat. ' Credo ego vos ', inquit, ' socii, et ipsos
cernere pacatis omnibus Hispaniae populis aut finiendam
nobis militiam exercitusque dimittendos esse aut in alias
terras transferendum bellum : ita enim hae gentes non
pacis solum, sed etiam victoriae bonis florebunt, si ex
aliis gentibus praedam et gloriam quaeremus. Itaque
cum longinqua a domo instet militia, incertumque sit,
quando domos vestras et quae cuique ibi cara sunt
visuri sitis, si quis vestrum suos invisere vult, commeatum
do. Primo vere edico adsitis, ut dis bene iuvantibus
bellum ingentis gloriae praedaeque futurum incipiamus.'

103. *Draco's severity modified by Solon.*

Draco Atheniensis vir bonus multaque esse prudentia
existimatus est, iurisque divini et humani peritus fuit. Is
Draco leges, quibus Athenienses uterentur, primus
omnium tulit. In illis legibus furem cuiusmodicumque
furti supplicio capitis puniendum esse et alia pleraque
nimis severe censuit sanxitque.

Eius igitur leges, quoniam videbantur acerbiores, non

decreto iussoque, sed tacito inlitteratoque Atheniensium
consensu oblitteratae sunt. Postea legibus aliis mitioribus,
a Solone compositis, usi sunt. Is Solon e septem illis
inclutis sapientibus fuit. Is sua lege in fures, non, ut
Draco antea, mortis, sed dupli poena vindicandum existimavit.

104. *Hannibal after Cannae rejects Maharbal's advice to march straight upon Rome.*

Hannibali victori cum ceteri circumfusi gratularentur
suaderentque ut, tanto perfunctus bello, diei quod reliquum esset noctisque insequentis quietem et ipse sibi
sumeret et fessis daret militibus, Maharbal praefectus
equitum, minime cessandum ratus, 'Immo ut quid hac
pugna sit actum scias, die quinto', inquit, 'victor in
Capitolio epulaberis. Sequere; cum equite, ut prius
venisse quam venturum sciant, praecedam.' Hannibali
nimis laeta res est visa maiorque quam ut eam statim
capere animo posset. Itaque voluntatem se laudare
Maharbalis ait; ad consilium pensandum temporis opus
esse. Tum Maharbal: 'Non omnia nimirum eidem di
dedere. Vincere scis, Hannibal; victoria uti nescis.'
Mora eius diei satis creditur saluti fuisse urbi atque
imperio.

105. *Earth produces the giants, who vainly challenge the Majesty of the gods.*

Hic status in caelo multos permansit in annos,
    dum senior fatis excidit arce deus.
Terra feros partus, immania monstra, Gigantas
    edidit, ausuros in Iovis ire domum.
mille manus illis dedit, et pro cruribus angues,
    atque ait : 'in magnos arma movete deos.'
exstruere hi montes ad sidera summa parabant,
    et magnum bello sollicitare Iovem.

fulmina de caeli iaculatus Iuppiter arce
vertit in auctores pondera vasta suos.
his bene Maiestas armis defensa deorum
restat, et ex illo tempore culta manet.

senior deus : i. e. Saturn.

106. *Athens is warned of Philip's approach.*

Demetriade tum Philippus erat : quo cum esset nun-
tiata clades sociae urbis, quanquam serum auxilium
perditis rebus erat, tamen, quae proxima auxilio est,
ultionem petens, cum expeditis quinque milibus et trecentis equitibus extemplo profectus cursu prope Chalcidem
contendit, haudquaquam dubius opprimi Romanos
posse. A qua destitutus spe, nec quidquam aliud quam
ad deforme spectaculum semirutae ac fumantis sociae
urbis cum venisset, paucis vix qui sepelirent bello ab-
sumptos relictis, aeque raptim ac venerat transgressus
ponte Euripum per Boeotiam Athenas ducit, pari incepto
haud disparem eventum ratus responsurum. Et respondisset, ni speculator—hemerodromos vocant Graeci,
ingens die uno cursu emetientes spatium—contemplatus
regium agmen ex specula quadam, praegressus nocte
media Athenas pervenisset.

107. *Catiline's party try to gain the support of the Allobroges.*

Igitur P. Umbreno cuidam negotium dat, uti legatos
Allobrogum requirat, eosque si possit impellat ad societatem belli ; existimans, publice privatimque aere alieno
oppressos, praeterea quod natura gens Gallica bellicosa
esset, facile eos ad tale consilium adduci posse. Umbre-
nus, quod in Gallia negotiatus erat, plerisque principibus
civitatium notus erat atque eos noverat ; itaque sine
mora, ubi primum legatos in foro conspexit, percontatus
pauca de statu civitatis et quasi dolens eius casum requi-
rere coepit, quem exitum tantis malis sperarent. Post-

quam illos videt queri de avaritia magistratuum, accusare
senatum, quod in eo auxilii nihil esset, miseriis suis
remedium mortem exspectare, 'at ego' inquit 'vobis, si
modo viri esse vultis, rationem ostendam qua tanta mala
effugiatis'.

aes alienum: debt.

108. *The Dangers of Solitude.*

Crates, ut aiunt, cum vidisset adulescentulum secreto
ambulantem, interrogavit, quid ille solus faceret ? 'Mecum', inquit, 'loquor.' Cui Crates : 'Cave', inquit, 'rogo,
et diligenter attende, ne cum homine malo loquaris.'
Lugentem timentemque custodire solemus, ne solitudine
male utatur. Nemo est ex imprudentibus qui relinqui
debeat sibi : tunc mala consilia agitant : tunc aut aliis
aut ipsis futura pericula struunt. . . . Verum est quod
apud Athenodorum inveni : 'Tunc scito esse te omnibus
cupiditatibus solutum, cum eo perveneris, ut nihil deum
roges, nisi quod rogare possis palam.' Nunc enim quanta
dementia est hominum! Turpissima vota dis insusurrant :
si quis admoverit aurem, conticescent : et quod scire
hominem nolunt, deo narrant. Vide ergo ne hoc praecipi
salubriter possit: 'Sic vive cum hominibus, tamquam deus
videat : sic loquere cum deo, tamquam homines audiant.'

insusurro: whisper in the ear.

109. *Medea's cruel device to delay her father's pursuit.*

Ergo ubi prospexit venientia vela : 'tenemur,
   et pater est aliqua fraude morandus' ait.
dum quid agat quaerit, dum versat in omnia vultus,
   ad fratrem casu lumina flexa tulit :
cuius ut oblata est praesentia : 'vicimus' inquit :
   'hic mihi morte sua causa salutis erit.'
protinus ignari nec quidquam tale timentis
   innocuum rigido perforat ense latus.

atque ita divellit, divulsaque membra per agros
    dissipat, in multis invenienda locis.
neu pater ignoret, scopulo proponit in alto
    pallentesque manus sanguineumque caput ;
ut genitor luctuque novo tardetur et artus
    dum legit extinctos triste moretur iter.

110. *A capable commander.*

Clamor subito ortus non consulis modo vigiles, exercitum deinde omnem, sed dictatorem quoque ex somno
excivit. Ubi praesenti ope res egebant, consul nec animo
defecit nec consilio : pars militum portarum stationes
firmant, pars corona vallum cingunt. In alteris apud
dictatorem castris quo minus tumultus est, eo plus anim-
advertitur, quid opus facto sit. Missum extemplo ad
castra subsidium, cui Sp. Postumius Albus legatus praefici-
tur ; ipse parte copiarum parvo circuitu locum maxime
secretum ab tumultu petit, unde ex necopinato aversum
hostem invadat. Q. Sulpicium legatum praeficit castris ; M.
Fabio legato adsignat equites nec ante lucem movere iubet manum inter nocturnos tumultus moderatu difficilem.
Omnia, quae vel alius imperator prudens et inpiger in
tali re praeciperet ageretque, praecipit ordine atque agit.

111. *Love as an inducement to the Simple Life.*

Rura meam, Cornute, tenent villaeque puellam:
    ferreus est, heu heu, quisquis in urbe manet.
ipsa Venus latos iam nunc migravit in agros,
    verbaque aratoris rustica discit Amor.
o ego, cum aspicerem dominam, quam fortiter illic
    versarem valido pingue bidente solum,
agricolaeque modo curvum sectarer aratrum,
    dum subigunt steriles arva serenda boves !
nec quererer quod sol graciles exureret artus,
    laederet et teneras pustula rupta manus.

pustula : blister.

112. *Near Formiae Cicero feels cut off from the world.*

Narro tibi: plane relegatus mihi videor, posteaquam in Formiano sum.   Dies enim nullus erat, Antii cum essem, quo die non melius scirem Romae quid ageretur quam ii qui erant Romae.   Etenim litterae tuae non solum quid Romae sed etiam quid in republica, neque solum quid fieret, verum etiam quid futurum esset indicabant.   Nunc, nisi si quid ex praetereunte viatore exceptum est, scire nihil possumus.   Quare quanquam iam te ipsum exspecto, tamen isti puero, quem ad me statim iussi recurrere, da ponderosam aliquam epistulam, plenam omnium non modo actorum sed etiam opinionum tuarum: ac diem quo Roma sis exiturus cura ut sciam.   Nos in Formiano esse volumus usque ad prid. Non. Mai. Eo si ante eam diem non veneris, Romae te fortasse videbo.   Nam Arpinum quid ego te invitem?

113. *A cheerless region.*

Orbis in extremi iaceo desertus arenis,
    fert ubi perpetuas obruta terra nives.
non ager hic pomum, non dulces educat uvas;
    non salices ripa, robora monte virent.
neve fretum laudes terra magis, aequora semper
    ventorum rabie solibus orba tument.
quocumque aspicias, campi cultore carentes
    vastaque, quae nemo vindicat, arva iacent.
hostis adest dextra laevaque a parte timendus,
    vicinoque metu terret utrumque latus.

solibus orbus : sunless; *vindico :* claim.

114. *The Roman fleet and the Veneti.*

Compluribus expugnatis oppidis, Caesar, ubi intellexit frustra tantum laborem sumi, neque hostium fugam

captis oppidis reprimi, neque his noceri posse, statuit ex-
spectandam classem. Quae ubi convenit ac primum ab
hostibus visa est, circiter ducentae viginti naves eorum
paratissimae atque omni genere armorum ornatissimae,
profectae ex portu, nostris adversae constiterunt : neque
satis Bruto, qui classi praeerat, vel tribunis militum
centurionibusque, quibus singulae naves erant attributae,
constabat quid agerent, aut quam rationem pugnae in-
sisterent. Rostro enim noceri non posse cognoverant :
turribus autem excitatis, tamen has altitudo puppium ex
barbaris navibus superabat, ut neque ex inferiore loco
satis commode tela adici possent, et missa ab Gallis
gravius acciderent.

115. *Desperate fighting.*

A. Postumius dictator T. Aebutius magister equitum
magnis copiis peditum equitumque profecti ad lacum
Regillum in agro Tusculano agmini hostium occurrerunt
et, quia Tarquinios esse in exercitu Latinorum auditum
est, sustineri ira non potuit quin extemplo confligerent.
Ergo etiam proelium aliquanto quam cetera gravius atque
atrocius fuit. Non enim duces ad regendam modo consilio rem adfuere, sed suismet ipsi corporibus dimicantes
miscuere certamina, nec quisquam procerum ferme hac
aut illa ex acie sine vulnere praeter dictatorem Romanum
excessit. In Postumium prima in acie suos adhortantem
instruentemque Tarquinius Superbus, quamquam iam
aetate et viribus erat gravior, equum infestus admisit,
ictusque ab latere concursu suorum receptus in tutum est.
Et ad alterum cornu Aebutius magister equitum in Octa-
vium Mamilium impetum dederat nec fefellit veniens
Tusculanum ducem ; contra quem et ille concitat equum.
Tantaque vis infestis venientium hastis fuit, ut bracchium
Aebutio traiectum sit, Mamilio pectus percussum.

116. *Ovid is worn out by his long exile.*

Iam mihi deterior canis adspergitur aetas,
   iamque meos vultus ruga senilis arat ;
iam vigor et quasso languent in corpore vires,
   nec, iuveni lusus qui placuere, placent.
nec si me subito videas, agnoscere possis :
   aetatis facta est tanta ruina meae.
confiteor facere haec annos : sed et altera causa est
   anxietas animi continuusque labor.
nam mea per longos si quis mala digerat annos,
   crede mihi, Pylio Nestore maior ero.
cernis ut in duris (et quid bove firmius ?) arvis
   fortia taurorum corpora frangat opus :
quae nunquam vacuo solita est cessare novali,
   fructibus assiduis lassa senescit humus. . .
me quoque debilitat series immensa malorum,
   ante meum tempus cogit et esse senem.
           novale : fallow.

117: *Roman history contrasted with Greek.*

Atheniensium res gestae, sicuti ego aestimo, satis am-
plae magnificaeque fuere ; verum aliquanto minores tamen
quam fama feruntur. Sed, quia provenere ibi scriptorum
magna ingenia, per terrarum orbem Atheniensium facta pro
maximis celebrantur. Ita eorum qui ea fecere virtus tanta
habetur, quantum verbis eam potuere extollere praeclara
ingenia. At populo Romano nunquam ea copia fuit, quia
prudentissimus quisque negotiosus maxime erat ; ingenium nemo sine corpore exercebat ; optimus quisque facere
quam dicere, sua ab aliis benefacta laudari quam ipse
aliorum narrare malebat. Igitur domi militiaeque boni
mores colebantur : concordia maxima, minima avaritia
erat : ius bonumque apud eos non legibus magis quam
natura valebat.

118. *Bravery of Camillus.*

Dato deinde signo ex equo desilit et proximum signi-
ferum manu arreptum secum in hostem rapit, 'infer,
miles', clamitans 'signum'. Quod ubi videre ipsum
Camillum, iam ad munera corporis senecta invalidum,
vadentem in hostes, procurrunt pariter omnes clamore
sublato 'sequere imperatorem' pro se quisque clamantes.
Emissum etiam signum Camilli iussu in hostium aciem
ferunt, idque ut repeteretur concitatos antesignanos; ibi
primum pulsum Antiatem, terroremque non in primam
tantum aciem sed etiam ad subsidiarios perlatum. Nec
vis tantum militum movebat excitata praesentia ducis,
sed quod Volscorum animis nihil terribilius erat quam
ipsius Camilli forte oblata species; ita, quocumque se
intulisset, victoriam secum haud dubiam trahebat. Maxime id evidens fuit, cum in laevum cornu prope iam
pulsum arrepto repente equo cum scuto pedestri advectus
conspectu suo proelium restituit ostentans vincentem
ceteram aciem.

119. *Ovid would rather die on dry land.*

Qui venit hic fluctus, fluctus supereminet omnes ;
  posterior nono est undecimoque prior.
nec letum timeo : genus est miserabile leti.
  demite naufragium, mors mihi munus erit.
est aliquid, fatove suo ferrove cadentem
  in solida moriens ponere corpus humo,
et mandare suis aliqua et sperare sepulcrum,
  et non aequoreis piscibus esse cibum.
fingite me dignum tali nece : non ego solus
  hic vehor : immeritos cur mea poena trahit ?

120. *The people of Clusium threatened by the Gauls appeal to Rome.*

Clusini novo bello exterriti, cum multitudinem, cum
formas hominum invisitatas cernerent et genus armorum,

audirentque saepe ab eis cis Padum ultraque legiones
Etruscorum fusas, quamquam adversus Romanos nullum
eis ius societatis amicitiaeve erat, nisi quod Veientes
consanguineos adversus populum Romanum non defen-
dissent, legatos Romam, qui auxilium ab senatu peterent,
misere. De auxilio nihil impetratum ; legati tres M. Fabi
Ambusti filii missi, qui senatus populique Romani nomine
agerent cum Gallis, ne, a quibus nullam iniuriam accepis-
sent, socios populi Romani atque amicos oppugnarent.
Romanis eos bello quoque, si res cogat, tuendos esse ;
sed melius visum bellum ipsum amoveri, si posset, et
Gallos, novam gentem, pace potius cognosci quam
armis.

121. *Pompey is confident of victory.*

Pompeius quoque, ut postea cognitum est, suorum
omnium hortatu statuerat proelio decertare. Namque
etiam in consilio superioribus diebus dixerat, priusquam
concurrerent acies, fore uti exercitus Caesaris pelleretur.
Id cum essent plerique admirati, 'Scio me', inquit, 'paene
incredibilem rem polliceri ; sed rationem consili mei
accipite, quo firmiore animo in proelium prodeatis.
Persuasi equitibus nostris, idque mihi se facturos con-
firmaverunt, ut, cum propius sit accessum, dextrum Caesaris cornu ab latere aperto adgrederentur, et, circumventa
ab tergo acie, prius perturbatum exercitum pellerent
quam a nobis telum in hostem iaceretur. Ita sine periculo legionum, et paene sine vulnere, bellum conficiemus.
Id autem difficile non est, cum tantum equitatu valeamus.'

122. *Ovid is 'not what he was'.*

Est quoque non minimum, vires afferre recentes,
   nec praeconsumptum temporis esse malis.
fortior in fulva novus est luctator arena,
   quam cui sunt tarda bracchia fessa mora.

integer est melior nitidis gladiator in armis,
  quam cui tela suo sanguine tincta rubent.
fert bene praecipites navis modo facta procellas :
  quamlibet exiguo solvitur imbre vetus.
nos quoque quae ferimus, tulimus patientius ante
  quam mala sunt longa multiplicata die.
nam neque sunt vires, nec qui color esse solebat,
  vixque habeo tenuem quae tegat ossa cutem.

luctator : wrestler.

123. *A pause in the hostilities.*

Quibus rebus commoti legati milites ex opere deducunt, oppugnatione desistunt ; operibus custodias relinquunt. Indutiarum quodam genere misericordia facto adventus Caesaris exspectatur. Nullum ex muro, nullum a nostris mittitur telum : ut re confecta omnes curam et diligentiam remittunt. Caesar enim per litteras Trebonio magnopere mandaverat, ne per vim oppidum expugnari pateretur, ne gravius permoti milites et defectionis odio et contemptione sui et diutino labore omnes puberes interficerent ; quod se facturos minabantur aegreque tunc sunt retenti quin oppidum irrumperent, graviterque eam rem tulerunt, quod stetisse per Trebonium quominus oppido potirentur videbatur.

defectio : desertion ; *minor :* threaten.

124. *The Volsci, after hesitating, renew their attack on the Romans.*

Circumventi igitur iam in medio ad unum omnes poenas rebellionis dedissent, ni Vettius Messius ex Volscis, nobilior vir factis quam genere, suos increpans clara voce ' Hic praebituri ', inquit, ' vos telis hostium estis indefensi, inulti ? Quid igitur arma habetis, aut quid ultro bellum intulistis, in otio tumultuosi, in bello segnes ? Quid hic stantibus spei est ? An deum aliquem protecturum vos rapturumque hinc putatis ? Ferro via facienda est.   Hac

qua me praegressum videritis, agite, qui visuri domos
parentes coniuges liberos estis, ite mecum. Non murus
nec vallum sed armati armatis obstant. Virtute pares,
necessitate, quae ultimum ac maximum telum est, superiores estis !' Haec locutum exsequentemque dicta redintegrato clamore secuti, dant impressionem, qua Postumius
Albus cohortes obiecerat : et moverunt victorem, donec
dictator pedem iam referentibus suis advenit, eoque omne
proelium versum est.

increpo : reprove.

125. *The danger of a bad precedent.*

Omnia mala exempla ex bonis orta sunt ; sed ubi
imperium ad ignaros aut minus bonos pervenit, novum
illud exemplum ab dignis et idoneis ad indignos et non
idoneos transfertur. Lacedaemonii devictis Atheniensibus
triginta viros imposuere, qui rempublicam eorum tracta-
rent. Hi primo coepere pessimum quemque et omnibus
invisum indemnatum necare : ea populus laetari et merito
dicere fieri. Post, ubi paullatim licentia crevit, iuxta
bonos et malos libidinose interficere, ceteros metu terrere.
Ita civitas servitute oppressa stultae laetitiae graves poenas
dedit. Nostra memoria victor Sulla cum Damasippum et
alios huiusmodi, qui malo reipublicae creverant, iugulari
iussit, quis non factum eius laudabat ? Homines scelestos,
factiosos, qui seditionibus rempublicam exagitaverant,
merito necatos aiebant. Sed ea res magnae initium
cladis fuit.

libidinose : wantonly.

126. *Two scouting parties meet.*

Philippus consternata quidem omnia circa pavoremque
ingentem hominum cernebat, sed parum gnarus, quam
partem petisset consul, alam equitum ad explorandum
quonam hostes iter intendissent misit. Idem error apud
consulem erat : movisse ex hibernis regem sciebat, quam

regionem petiisset ignorans. Is quoque speculatum
miserat equites. Hae duae alae ex diverso, cum diu
incertis itineribus vagatae per Dassaretios essent, tandem
in unum iter convenerunt. Neutros fefellit, ut fremitus
procul hominum equorumque exauditus est, hostes appro-
pinquare. Itaque priusquam in conspectum venirent,
equos armaque expedierant : nec mora, ubi primum
hostem videre, concurrendi facta est. Forte et numero
et virtute, utpote lecti utrimque, haud impares, aequis
viribus per aliquot horas pugnarunt. Fatigatio ipsorum
equorumque incerta victoria diremit proelium.

127. *The Trojan camp attacked.*

At tuba terribilem sonitum procul aere canoro
increpuit ; sequitur clamor caelumque remugit.
adcelerant acta pariter testudine Volsci
et fossas implere parant ac vellere vallum.
quaerunt pars aditum et scalis ascendere muros,
qua rara est acies interlucetque corona
non tam spissa viris.   telorum effundere contra
omne genus Teucri ac duris detrudere contis,
adsueti longo muros defendere bello.
saxa quoque infesto volvebant pondere, si qua
possent tectam aciem perrumpere, cum tamen omnes
ferre iuvat subter densa testudine casus.
nec iam sufficiunt.   nam qua globus imminet ingens,
immanem Teucri molem volvuntque ruuntque,
quae stravit Rutulos late armorumque resolvit
tegmina.   nec curant caeco contendere Marte
amplius audaces Rutuli, sed pellere vallo
missilibus certant.

spissus : **thick**.

128. *A Carthaginian landing party repulsed.*

Cum praeterveheretur Hispaniae oram, haud procul
Carthagine Nova expositis in terram militibus proximos

depopulatus agros, inde ad urbem classem appulit. Ibi
cum interdiu milites in navibus tenuisset, nocte in litus
expositos ad partem eam muri, qua capta Carthago ab
Romanis fuerat, ducit, nec praesidio satis valido urbem
teneri ratus et aliquos oppidanorum ad spem novandi
res aliquid moturos. Ceterum nuntii ex agris trepidi
simul populationem agrestiumque fugam et hostium
adventum attulerant, et visa interdiu classis erat, nec sine
causa electam ante urbem stationem apparebat. Itaque
instructi armatique intra portam ad stagnum ac mare
versam continebantur. Ubi effusi hostes, mixta inter
milites navalis turba, ad muros tumultu maiore quam vi
subierunt, patefacta repente porta Romani cum clamore
erumpunt, turbatosque hostes et ad primum incursum
coniectumque telorum aversos usque ad litus cum multa
caede persequuntur.

129. *The fall of Artena.*

Artena inde, Volscorum oppidum, ab tribunis obsideri
coepta. Inde inter eruptionem temptatam compulso in
urbem hoste occasio data est Romanis irrumpendi,
praeterque arcem cetera capta ; in arcem munitam natura
globus armatorum concessit ; infra arcem caesi captique
multi mortales. Arx deinde obsidebatur ; nec aut vi
capi poterat, quia pro spatio loci satis praesidii habebat, aut spem dabat deditionis, omni publico frumento
priusquam urbs caperetur in arcem convecto ; taedioque
recessum inde foret, ni servus arcem Romanis prodidisset.
Ab eo milites per locum arduum accepti cepere ; a quibus
cum custodes trucidarentur, cetera multitudo repentino
pavore oppressa in deditionem venit. Diruta et arce et
urbe Artena, reductae legiones ex Volscis, omnisque vis
Romana Veios conversa est.

130. *Tarquinius Superbus shows his son by a hint how to deal with Gabii.*

Iamque potens, missc genitorem appellat amico,
    perdendi Gabios quod sibi monstret iter?
hortus odoratis suberat cultissimus herbis,
    sectus humum rivo lene sonantis aquae.
illic Tarquinius mandata latentia nati
    accipit, et virga lilia summa metit.
nuntius ut rediit decussaque lilia dixit,
    filius ' agnosco iussa parentis' ait.
nec mora, principibus caesis ex urbe Gabina,
    traduntur ducibus moenia nuda suis.

131. *An unsubstantial letter.*

Plane deest quod scribam. Nam nec quod mandem
habeo : nihil enim praetermissum est ; nec quod narrem :
novi enim nihil ; nec iocandi locus est : ita me multa
sollicitant. Tantum tamen scito, Idibus Maiis nos Venusia
mane proficiscentes has dedisse. Eo autem die credo
aliquid actum in senatu : sequantur igitur nos tuae litterae,
quibus non modo res omnes sed etiam rumores cogno-
scamus. Eas accipiemus Brundisii : ibi enim Pomptinium
ad eam diem quam tu scripsisti exspectare consilium est.
Nos Tarenti quos cum Pompeio dialogos de republica
habuerimus ad te perscribemus : etsi id ipsum scire
cupio, quod ad tempus recte ad te scribere possim, id est,
quamdiu Romae futurus sis, ut aut quo dem posthac
litteras sciam aut ne dem frustra.

plane : completely.

132. *The capture of Corioli.*

Erat tum in castris inter primores iuvenum Cn. Marcius
adulescens et consilio et manu promptus, cui cognomen
postea Coriolano fuit. Cum subito exercitum Romanum
Coriolos obsidentem atque in oppidanos, quos intus

clausos habebat intentum, sine ullo metu extrinsecus
imminentis belli, Volscae legiones profectae ab Antio
invasissent eodemque tempore ex oppido erupissent
hostes, forte in statione Marcius fuit. Is cum delecta
militum manu non modo impetum erumpentium rettudit,
sed per patentem portam ferox inrupit caedeque in
proxima urbis facta ignem temere arreptum imminenti-
bus muro aedificiis iniecit. Clamor inde oppidanorum
mixtus muliebri puerilique ploratu ad terrorem, ut solet,
primum ortus et Romanis auxit animum et turbavit
Volscos, utpote capta urbe cui ad ferendam opem
venerant. Ita fusi Volsci Antiates, Corioli oppidum
captum.

133. *Penelope complains of the long absence of Ulysses.*

Sed mihi quid prodest vestris disiecta lacertis
    Ilios, et, murus quod fuit ante, solum,
si maneo qualis Troia durante manebam,
    virque mihi dempto fine carendus abest ?
iam seges est ubi Troia fuit, resecandaque falce
    luxuriat Phrygio sanguine pinguis humus.
semisepulta virum curvis feriuntur aratris
    ossa : ruinosas occulit herba domos.
victor abes ; nec scire mihi quae causa morandi,
    aut in quo lateas ferreus orbe licet.

falx : scythe ; *occulo :* hide.

134. *Syracuse.*

Urbem Syracusas maximam esse Graecarum, pulcherri-
mam omnium saepe audistis. Est, iudices, ita ut dicitur.
Nam et situ est cum munito tum ex omni aditu vel terra
vel mari praeclaro ad aspectum, et portus habet prope
in aedificatione amplexuque urbis inclusos : qui cum
diversos inter se aditus habeant, in exitu coniunguntur
et confluunt. Eorum coniunctione pars oppidi quae

appellatur Insula, mari disiuncta angusto ponte rursus
adiungitur et continetur. Ea tanta est urbs ut ex
quattuor urbibus maximis constare dicatur ; quarum una
est ea quam dixi Insula, quae duobus portibus cincta in
utriusque portus ostium aditumque proiecta est ; in qua
domus est quae Hieronis regis fuit, qua praetores uti
solent. In ea sunt aedes sacrae complures, sed duae,
quae longe ceteris antecellant, Dianae, et altera, quae
fuit ante istius adventum ornatissima, Minervae. In hac
insula extrema est fons aquae dulcis, cui nomen Arethusa
est, incredibili magnitudine, plenissimus piscium, qui
fluctu totus operiretur nisi munitione ac mole lapidum
disiunctus esset a mari.

135. *Aeneas and Pallas go forth to war.*

Iamque adeo exierat portis equitatus apertis,
Aeneas inter primos et fidus Achates,
inde alii Troiae proceres ; ipse agmine Pallas
in medio, chlamyde et pictis conspectus in armis :
qualis ubi Oceani perfusus Lucifer unda,
quem Venus ante alios astrorum diligit ignes,
extulit os sacrum caelo tenebrasque resolvit.
stant pavidae in muris matres, oculisque sequuntur
pulveream nubem et fulgentes aere catervas.
olli per dumos, qua proxuma meta viarum,
armati tendunt : it clamor, et agmine facto
quadrupedante putrem sonitu quatit ungula campum.
dumus: thicket.

136. *Ovid fears that his friends will not procure his return from exile.*

Verba mihi desunt eadem tam saepe roganti,
    iamque pudet vanas fine carere preces.
ergo mutetur scripti sententia nostri,
    ne totiens contra, quam rapit amnis, eam.

quod bene de vobis speravi, ignoscite, amici :
  talia peccandi iam mihi finis erit.
haec quoque, Naso, feres : etenim peiora tulisti.
  iam tibi sentiri sarcina nulla potest.
mitius ille perit, subita qui mergitur unda,
  quam sua qui tumidis brachia lassat aquis.
cur ego concepi Scythicis me posse carere
  finibus, et terra prosperiore frui ?
cur aliquid de me speravi lenius umquam ?
  an fortuna mihi sic mea nota fuit ?
torqueor en gravius, repetitaque forma locorum
  exilium renovat triste recensque facit.

sarcina : burden.

137. *Themistocles offers his services to the Great King.*

Scio plerosque ita scripsisse, Themistoclen Xerxe
regnante in Asiam transisse. Sed ego potissimum Thucy-
didi credo, quod aetate proximus de iis qui illorum
temporum historiam reliquerunt, et eiusdem civitatis fuit.
Is autem ait ad Artaxerxen eum venisse atque his verbis
epistulam misisse : ' Themistocles veni ad te, qui plurima
mala omnium Graiorum in domum tuam intuli, quamdiu
mihi necesse fuit adversum patrem tuum bellare patri-
amque meam defendere. Idem multo plura bona feci
postquam in tuto ipse et ille in periculo esse coepit. Nam
cum in Asiam reverti vellet proelio apud Salamina
facto, litteris eum certiorem feci id agi ut pons, quem in
Hellesponto fecerat, dissolveretur atque ab hostibus
circumiretur : quo nuntio ille periculo est liberatus. Nunc
autem confugi ad te exagitatus a cuncta Graecia, tuam
petens amicitiam : quam si ero adeptus, non minus me
bonum amicum habebis, quam fortem inimicum ille
expertus est.'

138. *An embassy to Aeneas.*

Iamque oratores aderant ex urbe Latina,
velati ramis oleae, veniamque rogantes :
corpora, per campos ferro quae fusa iacebant,
redderet, ac tumulo sineret succedere terrae ;
nullum cum victis certamen et aethere cassis ;
parceret hospitibus quondam socerisque vocatis.
quos bonus Aeneas, haud aspernanda precantes,
prosequitur venia, et verbis haec insuper addit :
' quaenam vos tanto fortuna indigna, Latini,
implicuit bello, qui nos fugiatis amicos ?
pacem me exanimis et Martis sorte peremptis
oratis ? equidem et vivis concedere vellem.

    olea : olive, olive-tree ; *cassus* + abl. : deprived of.

139. *Noblesse oblige.*

Inter primores genus Fabium insigne spectaculo exem-
ploque civibus erat. Ex his Q. Fabium—tertio hic anno
ante consul fuerat—principem in confertos Veientes euntem ferox viribus et armorum arte Tuscus, incautum inter
multas versantem hostium manus, gladio per pectus
transfigit ; telo extracto praeceps Fabius in vulnus cadit.
Sensit utraque acies unius viri casum, cedebatque inde
Romanus, cum M. Fabius consul transiluit iacentis
corpus obiectaque parma ' hoc iurastis ' inquit, ' milites,
fugientes vos in castra redituros ? Adeo ignavissimos
hostis magis timetis quam Iovem Martemque, per quos
iurastis ? At ego iniuratus aut victor revertar aut prope te
hic, Q. Fabi, dimicans cadam.'   Consuli tum K. Fabius,
prioris anni consul : ' verbisne istis, frater, ut pugnent, te
impetraturum credis ? di impetrabunt, per quos iuravere;
et nos, ut decet proceres, ut Fabio nomine est dignum,
pugnando potius quam adhortando accendamus militum
animos ! ' Sic in primum infestis hastis provolant duo
Fabii totamque moverunt secum aciem.

140. *Ovid's banishment is decreed.*

Non aliter stupui, quam qui Iovis ignibus ictus
   vivit et est vitae nescius ipse suae.
ut tamen hanc animi nubem dolor ipse removit,
   et tandem sensus convaluere mei,
alloquor extremum maestos abiturus amicos,
   qui modo de multis unus et alter erat.
uxor amans flentem flens acrius ipsa tenebat,
   imbre per indignas usque cadente genas.
nata procul Libycis aberat diversa sub oris,
   nec poterat fati certior esse mei.

141. *Friendship.*

Quid dulcius quam habere quicum omnia audeas sic
loqui ut tecum ? Qui esset tantus fructus in prosperis
rebus, nisi haberes qui illis aeque ac tu ipse gauderet ?
Adversas vero ferre difficile esset sine eo qui illas gravius
etiam quam tu ferret.   Denique ceterae res quae expe-
tuntur opportunae sunt singulae rebus fere singulis :
divitiae ut utare, opes ut colare, honores ut laudere,
voluptates ut gaudeas, valetudo ut dolore careas et muneribus fungare corporis : amicitia res plurimas continet ;
quoquo tu verteris, praesto est, nullo loco excluditur,
nunquam intempestiva, nunquam molesta est. Itaque
non aqua, non igni, ut aiunt, locis pluribus utimur quam
amicitia. Neque ego nunc de vulgari aut mediocri (quae
tamen ipsa et delectat et prodest) sed de vera et perfecta loquor, qualis eorum qui pauci nominantur fuit.
Nam et secundas res splendidiores facit amicitia, et
adversas, partiens et communicans, leviores.

intempestivus : out of season.

142. *Keep your enemy on the run.*

Erat vallis inter duas acies, ut supra demonstratum est,
non ita magna, at difficili et arduo ascensu.   Hanc

uterque, si adversariorum copiae transire conarentur,
exspectabat quo aequiore loco proelium committeret.
Simul ab sinistro cornu P. Atti equitatus omnis et una
levis armaturae interiecti complures, cum se in vallem
demitterent, cernebantur. Ad eos Curio equitatum et
duas Marrucinorum cohortis mittit ; quorum primum impetum equites hostium non tulerunt, sed, admissis equis,
ad suos refugerunt : relicti ab his, qui una procurrerant
levis armaturae circumveniebantur atque interficiebantur
ab nostris. Huc tota Vari conversa acies suos fugere et
concidi videbat. Tum Rebilus, legatus Caesaris, quem
Curio secum ex Sicilia duxerat, quod magnum habere
usum in re militari sciebat, ' Perterritum ', inquit, 'hostem
vides, Curio. Quid dubitas uti temporis opportunitate ?'
Ille milites sequi sese iubet et praecurrit ante omnis.

143. *Venus brings Aeneas the arms made by Vulcan.*

At Venus aetherios inter dea candida nimbos
dona ferens aderat ; natumque in valle reducta
ut procul egelido secretum flumine vidit,
talibus adfata est dictis, seque obtulit ultro :
' en perfecta mei promissa coniugis arte
munera, ne mox aut Laurentes, nate, superbos,
aut acrem dubites in proelia poscere Turnum.'
dixit, et amplexus nati Cytherea petivit ;
arma sub adversa posuit radiantia quercu.
ille deae donis et tanto laetus honore
expleri nequit, atque oculos per singula volvit,
miraturque interque manus et bracchia versat
terribilem cristis galeam flammasque vomentem,
fatiferumque ensem, loricam ex aere rigentem,
sanguineam, ingentem, qualis cum caerula nubes
solis inardescit radiis longeque refulget.

144. *Hannibal's dispositions at Cannae.*

Hannibal luce prima, Baliaribus levique alia armatura praemissa, transgressus flumen, ut quosque traduxerat, ita in acie locabat ; Gallos Hispanosque equites prope ripam laevo in cornu adversus Romanum equitatum, dextrum cornu Numidis equitibus datum, media acie peditibus firmata, ita ut Afrorum utraque cornua essent, interponerentur his medii Galli atque Hispani. Afros Romanam magna ex parte crederes aciem ; ita armati erant armis et ad Trebiam, ceterum magna ex parte ad Trasumennum captis. Gallis Hispanisque scuta eiusdem formae fere erant, dispares ac dissimiles gladii, Gallis praelongi ac sine mucronibus, Hispano, punctim magis quam caesim assueto petere hostem, brevitate habiles et cum mucronibus. Ante alios habitus gentium harum cum magnitudine corporum tum specie terribilis erat: Galli super umbilicum nudi ; Hispani linteis praetextis purpura tunicis candore miro fulgentibus constiterant.

145. *A sick exile's letter to his wife.*

Haec mea si casu miraris epistula quare
    alterius digitis scripta sit, aeger eram :
aeger in extremis ignoti partibus orbis,
    incertusque meae paene salutis eram.
quem mihi nunc animum, dira regione iacenti,
    inter Sauromatas esse Getasque putes?
nec caelum patimur, nec aquis assuevimus istis,
    terraque nescioquo non placet ipsa modo.
non domus apta satis, non hic cibus utilis aegro :
    nullus, Apollinea qui levet arte malum.
non qui soletur, non qui labentia tarde
    tempora narrando fallat amicus adest.

146. *A horrible murder revealed by a dream.*

Duo familiares Arcades iter una facientes Megaram venerunt : quorum alter ad hospitem se contulit, alter in

tabernam meritoriam devertit. Is qui in hospitio erat videt
in somnis comitem suum orantem ut sibi cauponis
insidiis circumvento subveniret : posse enim celeri eius
accursu se imminenti periculo subtrahi. Quo viso excita-
tus prosiluit, tabernamque in qua is deversabatur petere
conatus est. Pestifero deinde fato eius humanissimum
propositum tanquam supervacuum damnavit, et lectum
ac somnum repetiit. Tunc idem ei saucius oblatus obse-
cravit ut qui auxilium vitae suae ferre neglexisset, neci
saltem ultionem non negaret. Corpus enim suum a
caupone trucidatum tum maxime plaustro ad portam ferri
stercore coopertum. Tam constantibus familiaris precibus compulsus, protinus ad portam cucurrit, et plaustrum
quod in quiete demonstratum erat comprehendit, cau-
ponemque ad capitale supplicium perduxit.

taberna meritoria : an inn ; *caupo :* inn-keeper.

147. *Orpheus and Eurydice.*

Iamque pedem referens casus evaserat omnes
redditaque Eurydice superas veniebat ad auras
pone sequens,— namque hanc dederat Proserpina legem—
cum subita incautum dementia cepit amantem ;
restitit, Eurydicenque suam iam luce sub ipsa
immemor heu! victusque animi respexit. ibi omnis
effusus labor, atque immitis rupta tyranni
foedera, terque fragor stagnis auditus Avernis.
illa, 'quis et me ', inquit, ' miseram et te perdidit, Orpheu,
quis tantus furor ? en iterum crudelia retro
fata vocant, conditque natantia lumina somnus.
iamque vale : feror ingenti circumdata nocte.'
dixit et ex oculis subito, ceu fumus in auras
commixtus tenues, fugit diversa, neque illum
prensantem nequiquam umbras et multa volentem
dicere praeterea vidit, nec portitor Orci
amplius obiectam passus transire paludem.

nato : swim.

148. *A Roman victory.*

Etrusci omnium praeterquam multitudinis suae, qua sola freti erant, immemores proelium ineunt adeo raptim et avide, ut abiectis missilibus, quo celerius manus consererent, stringerent gladios vadentes in hostem ; Romanus contra nunc tela nunc saxa quibus eos affatim locus ipse armabat ingerere. Igitur scuta galeaeque ictae cum etiam quos non vulneraverant turbarent, neque subire erat facile ad propiorem pugnam, neque missilia habebant quibus eminus rem gererent ; stantes et expositos ad ictus, cum iam satis nihil tegeret, quosdam etiam pedem referentes, fluctuantemque et instabilem aciem redintegrato clamore strictis gladiis hastati et principes invadunt. Eum impetum non tulerunt Etrusci versisque signis fuga effusa castra repetunt. Sed equites Romani praevecti per obliqua campi, cum se fugientibus obtulissent, omisso ad castra itinere montes petunt ; inde inermi paene agmine ac vexato vulneribus in silvam Ciminiam penetratum.

affatim : abundantly.

149. *Letter-writing is difficult.*

Epistularum genera multa esse non ignoras, sed unum illud certissimum, cuius causa inventa res ipsa est, ut certiores faceremus absentes, si quid esset, quod eos scire aut nostra aut ipsorum interesset. Huius generis litteras a me profecto non exspectas ; tuarum enim rerum domesticos habes et scriptores et nuntios ; in meis autem rebus nihil est sane novi. Reliqua sunt epistularum genera duo quae me magnopere delectant, unum familiare et iocosum, alterum severum et grave. Utro me minus deceat uti, non intellego. Iocerne tecum per litteras ? Civem mehercule non puto esse qui temporibus his ridere possit. An gravius aliquid scribam ? Quid est quod possit graviter a Cicerone scribi ad Curionem nisi de re

publica ? Atqui in hoc genere haec mea causa est, ut
neque ea quae sentio audeam, neque ea quae non
sentio velim scribere.

150. *A father's prayer.*

'At vos, o superi, et divum tu maxime rector
Iuppiter, Arcadii, quaeso, miserescite regis,
et patrias audite preces : si numina vestra
incolumem Pallanta mihi, si fata reservant,
si visurus eum vivo et venturus in unum,
vitam oro ; patior quemvis durare laborem :
sin aliquem infandum casum, Fortuna, minaris,
nunc, o nunc liceat crudelem abrumpere vitam,
dum curae ambiguae, dum spes incerta futuri,
dum te, care puer, mea sola et sera voluptas,
complexu teneo ; gravior neu nuntius aures
volneret.' haec genitor digressu dicta supremo
fundebat : famuli conlapsum in tecta ferebant.

151. *Atalanta's challenge.*

' Non sum potiunda, nisi ', inquit,
' victa prius cursu : pedibus contendite mecum.
praemia veloci coniunx thalamique dabuntur,
mors pretium tardis : ea lex certaminis esto.'
illa quidem immitis : sed, tanta potentia formae est,
venit ad hanc legem temeraria turba procorum.
sederat Hippomenes cursus spectator iniqui,
et ' petitur cuiquam per tanta pericula coniunx ? '
dixerat, ac nimios iuvenum condemnat amores.
ut faciem, et posito corpus velamine vidit,
obstupuit, tollensque manus, ' ignoscite ', dixit,
' quos modo culpavi : nondum mihi praemia nota
quae peteretis erant.' laudando concipit ignem ;
et ne quis iuvenum currat velocius optat,
invidiaque timet.

procus : suitor.

152. *A deadly combat.*

Postquam in agrum Romanum ventum est, obviam hosti consules eunt : Valerius quadrato agmine peditem ducit ; Brutus ad explorandum cum equitatu antecessit. Eodem modo primus eques hostium agminis fuit ; praeerat Arruns Tarquinius filius regis ; rex ipse cum legionibus sequebatur. Arruns ubi ex lictoribus procul consulem esse, deinde iam propius ac certius facie quoque Brutum cognovit, inflammatus ira 'ille est vir' inquit, 'qui nos extorres expulit patria. Ipse en ille nostris decoratus insignibus magnifice incedit. Di regum ultores adeste' Concitat calcaribus equum atque in ipsum infestus consulem derigit. Sensit in se iri Brutus. Decorum erat tum ipsis capessere pugnam ducibus ; avide itaque se certamini offert, adeoque infestis animis concurrerunt, neuter, dum hostem vulneraret, sui protegendi corporis memor, ut contrario ictu per parmam uterque transfixus, duabus haerentes hastis moribundi ex equis lapsi sint.

153. *Shall Rome alone fail to honour a poet ?*

Sit igitur, iudices, sanctum apud vos, humanissimos homines, hoc poetae nomen quod nulla umquam barbaria violavit. Saxa atque solitudines voci respondent, bestiae saepe immanes cantu flectuntur atque consistunt : nos, instituti rebus optimis, non poetarum voce moveamur ? Homerum Colophonii civem esse dicunt suum, Chii suum vindicant, Salaminii repetunt, Smyrnaei vero suum esse confirmant, itaque etiam delubrum eius in oppido dedicaverunt, permulti alii praeterea pugnant inter se atque contendunt. Ergo illi alienum, quia poeta fuit, post mortem etiam expetunt : nos hunc vivum, qui et voluntate et legibus noster est, repudiamus, praesertim cum omne olim studium atque omne ingenium contulerit Archias ad populi Romani gloriam laudemque celebrandam ?

vindico : claim ; *delubrum :* shrine.

154. *Aeneas advances to fight Turnus.*

At pater Aeneas, audito nomine Turni,
deserit et muros, et summas deserit arces,
praecipitatque moras omnes, opera omnia rumpit,
laetitia exsultans, horrendumque intonat armis :
quantus Athos, aut quantus Eryx, aut ipse, coruscis
cum fremit ilicibus, quantus, gaudetque nivali
vertice se attollens pater Appenninus ad auras.
iam vero et Rutuli certatim et Troes et omnes
convertere oculos Itali, quique alta tenebant
moenia, quique imos pulsabant ariete muros,
armaque deposuere humeris.   stupet ipse Latinus
ingentes, genitos diversis partibus orbis,
inter se coiisse viros et cernere ferro.
atque illi, ut vacuo patuerunt aequore campi,
procursu rapido, coniectis eminus hastis,
invadunt Martem clipeis atque aere sonoro.

ilex : holm-oak.

155. *Caesar is careful of his soldiers' lives.*

Caesar in eam spem venerat, se sine pugna et sine
vulnere suorum rem conficere posse, quod re frumentaria adversarios interclusisset.   Cur etiam secundo
proelio aliquos ex suis amitteret ?   Cur vulnerari pateretur
optime meritos de se milites ?   Cur denique fortunam periclitaretur, praesertim cum non minus esset imperatoris
consilio superare quam gladio ?   Movebatur etiam misericordia civium, quos interficiendos videbat ; quibus salvis
atque incolumibus rem obtinere malebat.   Hoc consilium
Caesaris plerisque non probabatur ; milites vero palam
inter se loquebantur, quoniam talis occasio victoriae
dimitteretur, etiam cum vellet Caesar, sese non esse
pugnaturos.   Ille in sua sententia perseverat, et paulum
ex eo loco digreditur, ut timorem adversariis minuat.

Petreius atque Afranius, oblata facultate, in castra sese
referunt.

156. *Justifiable homicide.*

Itaque hoc, iudices, non sine causa etiam fictis fabulis
doctissimi homines memoriae prodiderunt, eum, qui
patris ulciscendi causa matrem necavisset, variatis hominum sententiis non solum divina, sed etiam sapientis-
simae deae sententia liberatum. Quod si duodecim
tabulae nocturnum furem quoquo modo, diurnum autem,
si se telo defenderet, interfici impune voluerunt, quis est
qui, quoquo modo quis interfectus sit, puniendum putet,
cum videat aliquando gladium nobis ad hominem occi-
dendum ab ipsis porrigi legibus? Atqui si tempus est
ullum iure hominis necandi, quae multa sunt, certe illud
est non modo iustum, verum etiam necessarium, cum vi
vis illata defenditur. Insidiatori vero et latroni quae
potest inferri iniusta nex? Quid comitatus nostri, quid
gladii volunt? Quos habere certe non liceret, si uti illis
nullo pacto liceret.

157. *Home thoughts from exile.*

At longe patria est, longe carissima coniunx,
　　quicquid et haec nobis post duo dulce fuit.
sic tamen haec adsunt, ut quae contingere non est
　　corpore, sint animo cuncta videnda meo.
ante oculos errant domus, urbs et forma locorum,
　　acceduntque suis singula facta locis.
conjugis ante oculos, sicut praesentis, imago est :
　　illa meos casus ingravat, illa levat :
ingravat hoc, quod abest : levat hoc, quod praestat
　　　amorem,
　　impositumque sibi firma tuetur onus.
vos quoque pectoribus nostris haeretis, amici,
　　dicere quos cupio nomine quemque suo.

158. *A soldiers' battle.*

Samnitibus optimum visum est committere rem fortunae et transigere cum Publilio certamen. Itaque in aciem copias educunt. Adversus quos Publilius consul cum dimicaturus esset, prius adloquendos milites ratus contionem advocari iussit. Ceterum sicut ingenti alacritate ad praetorium concursum est, ita prae clamore poscentium pugnam nulla adhortatio imperatoris audita est : suus cuique animus memor ignominiae adhortator aderat. Vadunt igitur in proelium urgentes signiferos, et, ne mora in concursu pilis emittendis stringendisque inde gladiis esset, pila velut dato ad id signo abiciunt strictisque gladiis cursu in hostem feruntur. Nihil illic imperatoriae artis ordinibus aut subsidiis locandis fuit ; omnia ira militaris prope vesano impetu egit. Itaque non fusi modo hostes sunt, sed ne castris quidem suis fugam impedire ausi Apuliam dissipati petiere.

159. *Caesar's ultimatum to Ariovistus.*

His responsis ad Caesarem relatis, iterum ad eum Caesar legatos cum his mandatis mittit : quoniam tanto suo populique Romani beneficio adfectus, cum in consulatu suo rex atque amicus a senatu appellatus esset, hanc sibi populoque Romano gratiam referret, ut in colloquium venire invitatus gravaretur, neque de communi re dicendum sibi et cognoscendum putaret, haec esse quae ab eo postularet : primum, ne quam multitudinem hominum amplius trans Rhenum in Galliam traduceret ; deinde obsides quos haberet ab Haeduis redderet, Sequanisque permitteret ut quos illi haberent voluntate eius reddere illis liceret ; neve Haeduos iniuria lacesseret, neve his sociisque eorum bellum inferret.

160. *A secret path over the mountains is betrayed to the Roman commander.*

Cum in hoc statu res esset, pastor quidam a Charopo, principe Epirotarum, missus deducitur ad consulem. Is se in eo saltu, qui regiis tum teneretur castris, armentum pascere solitum ait omnes montium eorum anfractus callesque nosse. Si secum aliquos consul mittere velit, se non iniquo nec perdifficili aditu super caput hostium eos educturum. Haec ubi consul audivit, percontatum ad Charopum mittit, satisne credendum super tanta re agresti censeret. Charopus renuntiari iubet, ita crederet, ut suae potius omnia quam illius potestatis essent. Cum magis vellet credere quam auderet mixtumque gaudio et metu animum gereret, auctoritate motus Charopi experiri spem oblatam statuit et, ut averteret regem ab suspicione, biduo insequenti lacessere hostem dispositis ab omni parte copiis succedentibusque integris in locum defessorum non destitit. Nocte itinera fieri iubet—et pernox forte luna erat—: interdiu cibi quietisque sumeret tempus. Ducem promissis ingentibus oneratum, si fides exstet, vinctum tamen tribuno tradit.

161. *A mighty hunter.*

Aeneas scopulum interea conscendit et omnem
prospectum late pelago petit, Anthea si quem
iactatum vento videat Phrygiasque biremes,
aut Capyn aut celsis in puppibus arma Caici.
navem in conspectu nullam, tres litore cervos
prospicit errantes; hos tota armenta sequuntur
a tergo, et longum per valles pascitur agmen.
constitit hic, arcumque manu celeresque sagittas
corripuit, fidus quae tela gerebat Achates,
ductoresque ipsos primum, capita alta ferentes

cornibus arboreis, sternit; tum vulgus et omnem
miscet agens telis nemora inter frondea turbam;
nec prius absistit, quam septem ingentia victor
corpora fundat humi et numerum cum navibus aequet.

162. *A letter of introduction.*

Democritus Sicyonius non solum hospes meus est, sed
etiam, quod non multis contingit, Graecis praesertim,
valde familiaris. Est enim in eo summa probitas, summa
virtus, summa in hospites liberalitas et observantia;
meque praeter ceteros et colit et observat et diligit. Eum
tu non modo suorum civium, verum paene Achaiae principem cognosces. Huic ego tantummodo aditum ad tuam
cognitionem patefacio et munio: cognitum per te ipsum,
dignum tua amicitia atque hospitio iudicabis. Peto igitur
a te ut his litteris lectis recipias eum in tuam fidem,
polliceare omnia te facturum mea causa. De reliquo, si,
id quod confido fore, dignum eum tua amicitia hospi-
tioque cognoveris, peto ut eum diligas. Vale.

163. *Aeneas wrecked on the coast of Carthage meets his mother, Venus.*

At pius Aeneas per noctem plurima volvens,
ut primum lux alma data est, exire locosque
explorare novos, quas vento accesserit oras,
qui teneant, nam inculta videt, hominesne feraene,
quaerere constituit, sociisque exacta referre.
classem in convexo nemorum sub rupe cavata
arboribus clausam circum atque horrentibus umbris
occulit; ipse uno graditur comitatus Achate,
bina manu lato crispans hastilia ferro.
cui mater media sese tulit obvia silva,
virginis os habitumque gerens et virginis arma
Spartanae, vel qualis equos Threissa fatigat
Harpalyce volucremque fuga praevertitur Hebrum.

namque umeris de more habilem suspenderat arcum
venatrix, dederatque comam diffundere ventis,
nuda genu nodoque sinus collecta fluentes.

praevertor : outstrip.

164. *The character of Cimon, son of Miltiades.*

Hunc Athenienses non solum in bello, sed etiam in
pace diu desideraverunt. Fuit enim tanta liberalitate,
cum compluribus locis praedia hortosque haberet, ut
numquam in eis custodem imposuerit fructus servandi
gratia, ne quis impediretur quominus eius rebus quibus
quisque vellet frueretur. Semper eum pedisequi cum
nummis sunt secuti, ut, si quis opis eius indigeret, haberet
quod statim daret, ne differendo videretur negare. Saepe
cum aliquem offensum fortuna videret minus bene vestitum, suum amiculum dedit. Cotidie sic cena ei coque-
batur, ut, quos invocatos vidisset in foro, omnis devocaret,
quod facere nullo die praetermittebat. Nulli fides eius,
nulli opera, nulli res familiaris defuit : multos locupletavit,
complures pauperes mortuos, qui unde efferrentur non
reliquissent, suo sumptu extulit. Sic se gerendo minime
est mirandum, si et vita eius fuit secura et mors acerba.

desidero : miss; *pedisequus :* attendant; *effero :* bury.

165. '*Proserpine gathering flowers,*
Herself a fairer flower.'

Haud procul Hennaeis lacus est a moenibus altae,
nomine Pergus, aquae : non illo plura Caystros
carmina cycnorum labentibus audit in undis.
silva coronat aquas cingens latus omne suisque
frondibus ut velo Phoebeos submovet ignes ;
frigora dant rami, Tyrios humus humida flores :
perpetuum ver est.   quo dum Proserpina luco
ludit et aut violas aut candida lilia carpit,
dumque puellari studio calathosque sinumque
implet, et aequales certat superare legendo,

paene simul visa est dilectaque raptaque Diti :
usque adeo est properatus amor.   dea territa maesto
et matrem et comites (sed matrem saepius) ore
clamat, et ut summa vestem laniarat ab ora,
collecti flores tunicis cecidere remissis ;
tantaque simplicitas puerilibus adfuit annis,
haec quoque virgineum movit iactura dolorem.

calathus: basket; *iactura:* loss.

166. *A story of Polus the actor.*

Histrio in terra Graecia fuit fama celebri, qui gestus
et vocis claritudine et venustate ceteris antistabat: nomen
fuisse aiunt Polum ; tragoedias poetarum nobilium scite
atque asseverate actitavit.   Is Polus unice amatum filium
morte amisit.   Eum luctum quoniam satis visus est
eluxisse, rediit ad quaestum artis.

In eo tempore Athenis Electram Sophoclis acturus,
gestare urnam quasi cum Oresti ossibus debebat.   Ita
compositum fabulae argumentum est, ut veluti fratris
reliquias ferens Electra comploret commisereaturque
interitum eius existimatum.   Igitur Polus, lugubri habitu
Electrae indutus, ossa atque urnam e sepulcro tulit filii
et, quasi Oresti amplexus, opplevit omnia non simulacris
neque imitamentis, sed luctu atque lamentis veris et spi-
rantibus.   Itaque cum agi fabula videretur, dolor actus est.

asseverate: with emphasis.

167. *The Trojans and their allies bury their dead.*

Iam pater Aeneas, iam curvo in litore Tarchon
constituere pyras : huc corpora quisque suorum
more tulere patrum ; subiectisque ignibus atris
conditur in tenebras altum caligine caelum.
ter circum accensos, cincti fulgentibus armis,
decurrere rogos ; ter maestum funeris ignem
lustravere in equis, ululatusque ore dedere.

spargitur et tellus lacrimis, sparguntur et arma.
it caelo clamorque virum clangorque tubarum.
hic alii spolia occisis derepta Latinis
coniciunt igni, galeas, ensesque decoros,
frenaque, ferventesque rotas ; pars munera nota,
ipsorum clipeos et non felicia tela.

168. *A letter from Cicero to Brutus.*

M. Cicero S. D. D. Brut. Imp.

Tres uno die a te accepi epistulas, unam brevem, quam
Flacco Volumnio dederas, duas pleniores, quarum alteram
tabellarius T. Vibii attulit, alteram ad me misit Lupus.
Ex tuis litteris non modo non exstinctum bellum, sed
etiam inflammatum videtur.   Non dubito autem, pro tua
singulari prudentia, quin perspicias, si aliquid firmitatis
nactus sit Antonius, omnia tua illa praeclara in rempublicam merita ad nihilum esse ventura.   Ita enim Romam
erat nuntiatum, ita persuasum omnibus, cum paucis
inermibus perterritis metu, fracto animo fugisse Antonium.   Qui si ita se habet ut confligi cum eo sine periculo non possit, non ille mihi fugisse a Mutina videtur,
sed locum belli gerendi mutasse.   Itaque nonnulli etiam
queruntur, quod persecuti non sitis.   Opprimi potuisse,
si celeritas adhibita esset, existimant.   Providendum est
ne quae iusta querela esse possit.   Res sic se habet.   Is
bellum confecerit, qui Antonium oppresserit.

tabellarius : courier, postman.

169. *Defeat of the Volsci.*

Alter consul in Volscos profectus, ne et ipse tereret
tempus, vastandis maxime agris hostem ad conferenda
propius castra dimicandumque acie excivit.   Medio
inter castra campo ante suum quisque vallum infestis
signis constitere.   Multitudine aliquantum Volsci supera-
bant ; itaque effusi et contemptim pugnam iniere.   Consul

Romanus nec promovit aciem, nec clamorem reddi passus
defixis pilis stare suos iussit : ubi ad manum venisset
hostis, tum coortos tota vi gladiis rem gerere. Volsci
cursu et clamore fessi cum se velut stupentibus metu
intulissent Romanis, postquam impressionem sensere ex
adverso factam et ante oculos micare gladios, haud secus
quam si in insidias incidissent, turbati vertunt terga ; et
ne ad fugam quidem satis virium fuit, quia cursu in
proelium ierant. Romani contra, quia principio pugnae
quieti steterant, vigentes corporibus, facile adepti fessos
et castra impetu ceperunt et castris exutum hostem
Velitras persecuti uno agmine victores cum victis in
urbem inrupere.

170. *Pallas' funeral.*

Ducunt et Rutulo perfusos sanguine currus.
post bellator equus, positis insignibus, Aethon
it lacrimans, guttisque humectat grandibus ora.
hastam alii galeamque ferunt ; nam cetera Turnus
victor habet. tum maesta phalanx Teucrique sequuntur,
Tyrrhenique omnes, et versis Arcades armis.
postquam omnis longe comitum praecesserat ordo,
substitit Aeneas, gemituque haec addidit alto :
' nos alias hinc ad lacrimas eadem horrida belli
fata vocant. salve aeternum mihi, maxime Palla,
aeternumque vale.' nec plura effatus ad altos
tendebat muros, gressumque in castra ferebat.

171. *55 B.C. Caesar interests himself in Britain.*

Exigua parte aestatis reliqua, Caesar, etsi in his locis,
quod omnis Gallia ad septentriones vergit, maturae sunt
hiemes, tamen in Britanniam proficisci contendit, quod
omnibus fere Gallicis bellis hostibus nostris inde sub-
ministrata auxilia intellegebat ; et, si tempus anni ad
bellum gerendum deficeret, tamen magno sibi usui fore
arbitrabatur, si modo insulam adisset, et genus hominum

perspexisset, loca, portus, aditus cognovisset : quae omnia
fere Gallis erant incognita.   Neque enim temere praeter
mercatores illo adit quisquam, neque his ipsis quicquam
praeter oram maritimam atque eas regiones quae sunt
contra Gallias notum est.   Itaque vocatis ad se undique
mercatoribus, neque quanta esset insulae magnitudo,
neque quae aut quantae nationes incolerent, neque quem
usum belli haberent, aut quibus institutis uterentur, neque
qui essent ad maiorum navium multitudinem idonei
portus, reperire poterat.

172. *The wisdom of Epaminondas.*

Hic uxorem numquam duxit.   In quo cum reprehen-
deretur quod liberos non relinqueret, a Pelopida, qui
filium habebat infamem, maleque eum in eo patriae con-
sulere diceret, 'vide' inquit 'ne tu peius consulas, qui
talem ex te natum relicturus sis.   Neque vero stirps
potest mihi deesse : namque ex me natam relinquo pugnam Leuctricam, quae non modo mihi superstes, sed
etiam immortalis sit necesse est.'   Quo tempore duce
Pelopida exsules Thebas occuparunt et praesidium Lace-
daemoniorum ex arce expulerunt, Epaminondas, quamdiu facta est caedes civium, domo se tenuit, quod neque
malos defendere volebat neque impugnare, ne manus
suorum sanguine cruentaret : namque omnem civilem
victoriam funestam putabat.   Idem, postquam apud
Cadmeam cum Lacedaemoniis pugnari coeptum est, in
primis stetit.

173. *Cicero begs Caesar's consideration for the subject-princes of the empire.*

Multa sunt monumenta clementiae tuae, sed maxime
eorum incolumitates, quibus salutem dedisti.   Quae si in
privatis gloriosa sunt, multo magis commemorabuntur in
regibus.   Semper regium nomen in hac civitate sanctum

fuit, sociorum vero regum et amicorum sanctissimum.
Quod nomen hi reges ne amitterent te victore timu-
erunt ; retentum vero et a te confirmatum posteris etiam
suis tradituros se esse confidunt.   Corpora sua pro salute
regum suorum hi legati regii tradunt, Hieras et Blesamius et
Antigonus, tibi nobisque omnibus iam diu noti, eademque
fide et virtute praeditus Dorylaus, qui nuper cum Hiera
legatus est ad te missus, cum regum amicissimi, tum tibi
etiam, ut spero, probati.

174. *Leander writes from Abydos to tell Hero why he has not been to see her.*

Ipsa vides caelum pice nigrius et freta ventis
    turbida perque cavas vix adeunda rates.
unus, et hic audax, a quo tibi littera nostra
    redditur, e portu navita movit iter ;
adscensurus eram, nisi quod, cum vincula prorae
    solveret, in speculis omnis Abydos erat.
non poteram celare meos, velut ante, parentes,
    quemque tegi volumus, non latuisset amor.
protinus haec scribens, 'felix, i, littera ! ' dixi,
    ' iam tibi formosam porriget illa manum.
forsitan admotis etiam tangere labellis,
    rumpere dum niveo vincula dente volet.'
talibus exiguo dictis mihi murmure verbis
    cetera cum charta dextra locuta mea est.

        specula : watch-tower.

175. *Lysander outwitted by a Persian satrap.*

Atque hoc loco non est praetereundum factum Phar-
nabazi, satrapis regii.   Nam cum Lysander praefectus
classis in bello multa crudeliter avareque fecisset deque
iis rebus suspicaretur ad cives suos esse perlatum, petiit
a Pharnabazo ut ad ephoros sibi testimonium daret,
quanta sanctitate bellum gessisset sociosque tractasset,
deque ea re accurate scriberet · magnam enim eius

auctoritatem in ea re futuram. Huic ille liberaliter
pollicetur: librum grandem verbis multis conscripsit, in
quibus summis eum fert laudibus. Quem cum legisset
probassetque, dum signatur, alterum pari magnitudine
tanta similitudine, ut discerni non posset, signatum
subiecit, in quo accuratissime eius avaritiam perfidiamque
accusarat. Hunc Lysander domum cum redisset, postquam de suis rebus gestis apud maximum magistratum
quae voluerat dixerat, testimonii loco librum a Pharnabazo
datum tradidit. Hunc summoto Lysandro cum ephori
cognossent, ipsi legendum dederunt. Ita ille imprudens
ipse suus fuit accusator.

176. *Lycus' fate.*

At pedibus longe melior Lycus inter et hostes
inter et arma fuga muros tenet altaque certat
prendere tecta manu sociumque attingere dextras.
quem Turnus, pariter cursu teloque secutus,
increpat his victor : ' nostrasne evadere, demens,
sperasti te posse manus ? ' simul arripit ipsum
pendentem et magna muri cum parte revellit :
qualis ubi aut leporem aut candenti corpore cycnum
sustulit alta petens pedibus Iovis armiger uncis,
quaesitum aut matri multis balatibus agnum
Martius a stabulis rapuit lupus. undique clamor
tollitur : invadunt et fossas aggere complent ;
ardentes taedas alii ad fastigia iactant.

177. *The people of Abydos resolve to die rather than yield.*

Abydeni, cum et muri pars strata ruinis et ad interiorem raptim oppositum murum cuniculis iam perventum
esset, legatos ad regem de condicionibus tradendae
urbis miserunt. Paciscebantur autem, ut Rhodiam
quadriremem cum sociis navalibus Attalique praesidium
emitti liceret atque ipsis urbe excedere cum singulis

vestimentis. Quibus cum Philippus nihil pacati nisi
omnia permittentibus respondisset, adeo renuntiata haec
legatio ab indignatione simul ac desperatione iram
accendit, ut ad Saguntinam rabiem versi matronas omnis
in templo Dianae, pueros ingenuos virginesque, infantes
etiam cum suis nutricibus in gymnasio includi iuberent,
aurum et argentum in forum deferri, vestem pretiosam in
naves Rhodiam Cyzicenamque, quae in portu erant, coici,
sacerdotes victimasque adduci et altaria in medio poni.
Ibi delecti primum, qui, ubi caesam aciem suorum pro
diruto muro pugnantem vidissent, extemplo coniuges
liberosque interficerent, aurum argentum vestemque, quae
in navibus esset, in mare deicerent, tectis publicis privatisque, quam plurimis locis possent, ignes subicerent.

178. *The simpler tastes of early times.*

Cuius victoriae non alienum videtur quale praemium
Miltiadi sit tributum docere, quo facilius intellegi possit
eandem omnium civitatum esse naturam.   Ut enim
populi Romani honores quondam fuerunt rari et tenues
ob eamque causam gloriosi, nunc autem effusi atque
obsoleti, sic olim apud Athenienses fuisse reperimus.
Namque huic Miltiadi, quia Athenas totamque Graeciam
liberarat, talis honos tributus est, in porticu quae Poecile
vocatur, cum pugna depingeretur Marathonia, ut in decem
praetorum numero prima eius imago poneretur isque
hortaretur milites proeliumque committeret.   Idem ille
populus, posteaquam maius imperium est nactus et
largitione magistratuum corruptus est, trecentas statuas
Demetrio Phalereo decrevit.

largitio : bribery.

179. *How Verres acquired a lamp-stand.*

Candelabrum e gemmis clarissimis opere mirabili
perfectum reges ii, quos dico, Romam cum attulissent,
ut in Capitolio ponerent, pervenit res ad istius auris

nescio quo modo. Nam rex id celatum voluerat ne
multi illud ante praeciperent oculis quam populus
Romanus. Iste petit a rege et eum pluribus verbis rogat,
ut id ad se mittat ; cupere se dicit inspicere neque se
aliis videndi potestatem esse facturum. Antiochus nihil
de istius improbitate suspicatus imperat suis, ut id in
praetorium involutum quam occultissime deferrent. Quo
posteaquam attulerunt involucrisque reiectis constitu-
erunt, clamare iste coepit dignam rem esse regno Syriae,
dignam regio munere, dignam Capitolio. Etenim erat
eo splendore, qui ex clarissimis et pulcherrimis gemmis
esse debebat, ea varietate operum, ut ars certare videretur
cum copia. Cum satis iam perspexisse videretur tollere
incipiunt, ut referrent. Iste ait se velle illud etiam atque
etiam considerare ; nequaquam se esse satiatum ; iubet
illos discedere et candelabrum relinquere.

180. *The Rutulians appear before the Trojan camp.*

Primus ab adversa conclamat mole Caicus :
' quis globus, o cives, caligine volvitur atra ?
ferte citi ferrum, date tela, ascendite muros.
hostis adest, heia !' ingenti clamore per omnes
condunt se Teucri portas et moenia complent.
namque ita discedens praeceperat optimus armis
Aeneas : si qua interea fortuna fuisset,
neu struere auderent aciem neu credere campo ;
castra modo et tutos servarent aggere muros.
ergo etsi conferre manum pudor iraque monstrat,
obiciunt portas tamen et praecepta facessunt,
armatique cavis exspectant turribus hostem.

181. *Caesar by means of a surprise attack storms a*
Gallic stronghold.

Postero die Caesar, promota turri directisque operibus
quae facere instituerat, magno coorto imbre, non inutilem

hanc ad capiendum consilium tempestatem arbitratus,
quod paulo incautius custodias in muro dispositas videbat,
suos quoque languidius in opere versari iussit, et quid
fieri vellet ostendit.   Legiones intra vineas in occulto
expeditas cohortatur, ut aliquando pro tantis laboribus
fructum victoriae perciperent ; eis, qui primi murum as-
cendissent, praemia proposuit, militibusque signum dedit.
Illi subito ex omnibus partibus evolaverunt, murumque
celeriter compleverunt.   Hostes re nova perterriti, muro
turribusque deiecti, in foro ac locis patentioribus cuneatim
constiterunt, hoc animo, ut, si qua ex parte obviam
veniretur, acie instructa depugnarent.   Ubi neminem in
aequum locum sese demittere, sed toto undique muro
circumfundi viderunt, veriti, ne omnino spes fugae
tolleretur, abiectis armis, ultimas oppidi partes continenti
impetu petiverunt : parsque ibi, cum angusto exitu
portarum se ipsi premerent, a militibus, pars iam egressa
portis ab equitibus est interfecta.

182. *Ovid and his parents.*

Et iam complerat genitor sua fata, novemque
     addiderat lustris altera lustra novem.
non aliter flevi quam me fleturus ademptum
     ille fuit : matri proxima iusta tuli.
felices ambo, tempestiveque sepulti,
     ante diem poenae quod periere meae.
me quoque felicem, quod non viventibus illis
     sum miser, et de me quod doluere nihil.
si tamen exstinctis aliquid nisi nomina restat,
     et gracilis structos effugit umbra rogos ;
fama, parentales, si vos mea contigit, umbrae,
     et sunt in Stygio crimina nostra foro ;
scite, precor, causam (nec vos mihi fallere fas est)
     errorem iussae, non scelus, esse fugae.

183. *Euclides, the conscientious pupil of Socrates.*

Decreto suo Athenienses caverant, ut qui Megaris
civis esset, si intulisse Athenas pedem prensus esset, ut
ea res ei homini capitalis esset ; tanto Athenienses odio
flagrabant finitimorum hominum Megarensium. Tum
Euclides, qui indidem Megaris erat quique ante id
decretum et esse Athenis et audire Socratem consueverat,
postquam id decretum sanxerunt, sub noctem, cum
advesperasceret, tunica longa muliebri indutus et pallio
versicolore amictus et caput rica velatus, e domo sua
Megaris Athenas ad Socratem commeabat, ut vel noctis
aliquo tempore consiliorum sermonumque eius fieret
particeps, rursusque sub lucem milia passuum paulo
amplius viginti eadem veste illa tectus redibat.

At nunc videre est philosophos ultro currere, ut
doceant, ad fores iuvenum divitum eosque ibi sedere
atque opperiri prope ad meridiem, donec discipuli
nocturnum omne vinum edormiant.

rica : veil.

184. *The forces assemble against Aeneas.*

Pandite nunc Helicona, deae, cantusque movete,
qui bello exciti reges, quae quemque secutae
complerint campos acies, quibus Itala iam tum
floruerit terra alma viris, quibus arserit armis ;
et meministis enim, divae, et memorare potestis ;
ad nos vix tenuis famae perlabitur aura.

Primus init bellum Tyrrhenis asper ab oris
contemptor divum Mezentius agminaque armat
filius huic iuxta Lausus, quo pulchrior alter
non fuit excepto Laurentis corpore Turni ;
Lausus, equum domitor debellatorque ferarum,
ducit Agyllina nequiquam ex urbe secutos
mille viros, dignus patriis qui laetior esset
imperiis, et cui pater haud Mezentius esset.

185. *The forces of Caesar and Pompey meet near Dyrrhacium.*

In occupandis praesidiis magna vi uterque nitebatur: Caesar, ut quam angustissime Pompeium contineret, Pompeius, ut quam plurimos collis quam maximo circuitu occuparet; crebraque ob eam causam proelia fiebant. In his cum legio Caesaris nona praesidium quoddam occupavisset et munire coepisset, huic loco propinquum et contrarium collem Pompeius occupavit nostrosque opere prohibere coepit et, cum una ex parte prope aequum aditum haberet, primum sagittariis funditoribusque circumiectis, postea levis armaturae magna multitudine missa tormentisque prolatis munitiones impediebat; neque erat facile nostris uno tempore propugnare et munire. Caesar, cum suos ex omnibus partibus vulnerari videret, recipere se iussit et loco excedere. Erat per declive receptus. Illi autem hoc acrius instabant neque regredi nostros patiebantur, quod timore adducti locum relinquere videbantur. Dicitur eo tempore glorians apud suos Pompeius dixisse non recusare se quin nullius usus imperator existimaretur, si sine maximo detrimento legiones Caesaris sese recepissent inde quo temere essent progressae.

186. *Hannibal teaches the Romans a lesson.*

Postero die luce prima Marcellus in aciem copias eduxit. Nec Hannibal detrectavit certamen, multis verbis adhortatus milites ut memores Trasumenni Cannarumque contunderent ferociam hostis. Urgere atque instare eum: non iter quietos facere, non castra ponere pati, non respirare aut circumspicere: cotidie simul orientem solem et Romanam aciem in campis videndam esse. Si uno proelio haud incruentus abeat, quietius deinde tranquilliusque eum bellaturum. His inritati adhortationibus

simulque taedio ferociae hostium cotidie instantium
lacessentiumque acriter proelium ineunt. Pugnatum
amplius duabus horis est. Cedere inde ab Romanis
dextra ala et extraordinarii coepere. Quod ubi Marcellus vidit, duodevicesimam legionem in primam aciem
inducit. Dum alii trepidi cedunt, alii segniter subeunt,
turbata tota acies est, dein prorsus fusa ; et vincente
pudorem metu terga dabant. Cecidere in pugna fuga-
que ad duo millia et septingenti civium sociorumque.

187. *Dido to Aeneas.*

Certus es ire tamen miseramque relinquere Didon,
    atque idem venti vela fidemque ferent?
certus es, Aenea, cum foedere solvere naves,
    quaeque ubi sint nescis Itala regna sequi?
nec nova Carthago nec te crescentia tangunt
    moenia, nec sceptro tradita summa tuo?
facta fugis, facienda petis : quaerenda per orbem
    altera, quaesita est altera terra tibi.
ut terram invenias, quis eam tibi tradet habendam?
    quis sua non notis arva tenenda dabit?
alter amor tibi restat habendus, et altera Dido,
    quamque iterum fallas altera danda fides.

188. *A naval engagement off Alexandria.*

Erat una navis Rhodia in dextro Caesaris cornu
longe ab reliquis collocata. Hanc conspicati hostes
non tenuerunt sese, magnoque impetu IIII ad eam con-
stratae naves et complures apertae contenderunt. Cui
coactus est Caesar ferre subsidium, ne turpem in conspectu hostium contumeliam acciperet, quamquam, si
quid gravius illis accidisset, merito casurum iudicabat.
Proelium commissum est magna contentione Rhodiorum;
qui cum in omnibus dimicationibus et scientia et virtute
praestitissent, tum maxime illo tempore totum onus
sustinere non recusabant, ne quod suorum culpa detri-

mentum acceptum videretur. Ita proelium secundissi-
mum est factum. Capta est una hostium quadriremis,
depressa est altera, duae omnibus epibatis nudatae;
magna praeterea multitudo in reliquis navibus propugna-
torum est interfecta. Quod nisi nox proelium diremisset,
tota classe hostium Caesar potitus esset. Hac calamitate
perterritis hostibus adverso vento leniter flante navis
onerarias Caesar remulco victricibus suis navibus Alexan-
dream deducit.

constratus: decked; *epibata:* a marine; *remulcum:* a tow-rope.

189. *Catiline's guilt is virtually established.*

Haec omnia indices detulerunt, rei confessi sunt, vos
multis iam iudiciis iudicavistis, primum quod mihi gratias
egistis singularibus verbis et mea virtute atque diligentia
perditorum hominum coniurationem patefactam esse decrevistis, deinde quod P. Lentulum se abdicare praetura
coegistis; tum quod eum et ceteros de quibus iudicastis
in custodiam dandos censuistis, maximeque quod meo
nomine supplicationem decrevistis, qui honos togato habitus ante me est nemini; postremo hesterno die praemia
legatis Allobrogum Titoque Volturcio dedistis amplissima.
Quae sunt omnia eius modi ut ei qui in custodiam nomi-
natim dati sunt sine ulla dubitatione a vobis damnati
esse videantur.

190. *Aeneas meets Dido in the underworld.*

Inter quas Phoenissa recens a vulnere Dido
errabat silva in magna; quam Troius heros
ut primum iuxta stetit agnovitque per umbras
obscuram, qualem primo qui surgere mense
aut videt aut vidisse putat per nubila lunam,
demisit lacrimas dulcique adfatus amore est:
'infelix Dido, verus mihi nuntius ergo
venerat exstinctam ferroque extrema secutam?
funeris heu tibi causa fui? per sidera iuro,

per superos et si qua fides tellure sub ima est,
invitus, regina, tuo de litore cessi.
sed me iussa deum, quae nunc has ire per umbras,
per loca senta situ cogunt noctemque profundam,
imperiis egere suis ; nec credere quivi
hunc tantum tibi me discessu ferre dolorem.'
sentus situ : grimy with decay.

191. *Adherbal defeated and beleaguered by Jugurtha.*

Adherbal ubi intellegit eo processum, uti regnum aut
relinquendum esset, aut armis retinendum, necessario
copias parat, et Iugurthae obvius procedit.   Interim
haud longe a mari, prope Cirtam oppidum, utriusque
consedit exercitus ; et quia diei extremum erat, proelium
non inceptum.   Ubi plerumque noctis processit, obscuro
etiam tum lumine, milites Iugurthini, signo dato, castra
hostium invadunt ; semisomnos partim, alios arma su-
mentes   fugant   funduntque ;   Adherbal   cum   paucis
equitibus Cirtam profugit, et ni multitudo togatorum
fuisset, quae Numidas insequentes moenibus prohibuit,
uno die inter duos reges coeptum atque patratum bellum foret.   Igitur Iugurtha oppidum circumsedit, vineis
turribusque et machinis omnium generum expugnare ag-
greditur, maxime festinans tempus legatorum antecapere,
quos ante proelium factum ab Adherbale Romam missos
audiverat.

192. *Atticus, though a friend of the Liberators,* *escapes the proscription.*

Conversa subito fortuna est.   Ut Antonius rediit in
Italiam, nemo non magno in periculo Atticum putarat
propter intimam familiaritatem Ciceronis et Bruti.   Itaque
ad adventum imperatorum de foro decesserat, timens
proscriptionem, latebatque apud P. Volumnium, cui, ut
ostendimus, paulo ante opem tulerat (tanta varietas iis

temporibus fuit fortunae, ut modo hi, modo illi in summo
essent aut fastigio aut periculo), habebatque secum Q.
Gellium Canum, aequalem simillimumque sui. Hoc
quoque sit Attici bonitatis exemplum, quod cum eo,
quem puerum in ludo cognorat, adeo coniuncte vixit, ut
ad extremam aetatem amicitia eorum creverit. Antonius
autem, etsi tanto odio ferebatur in Ciceronem, ut non
solum ei, sed etiam omnibus eius amicis esset inimicus
eosque vellet proscribere multis hortantibus, tamen Attici
memor fuit officii et ei, cum requisisset ubinam esset,
sua manu scripsit, ne timeret statimque ad se veniret:
se eum et illius causa Canum de proscriptorum numero
exemisse. Ac ne quod periculum incideret, quod noctu
fiebat, praesidium ei misit.

ludus : preparatory school.

193. *A hard bargain.*

Permissu consulis postero die in castra tyrannus venit,
modico vestitu paucisque comitantibus: et oratio fuit
summissa et humilis, extenuantis opes suas urbiumque
suae dicionis egestatem querentis. Ex his xxv talenta
se confecturum pollicebatur. ' Enimvero ', inquit consul,
' ferri iam ludificatio ista non potest. Nonne satis est
ut absens per legatos frustrareris nos: praesens quoque in
eadem perstas impudentia? Quid? xxv talenta regnum
tuum exhaurient? Quingenta ergo nisi triduo dederis,
populationem in agris, obsidionem in urbe exspecta.'
Hac denuntiatione conterritus perstat tamen in pertinaci
simulatione inopiae: et paullatim ad c talenta est per-
ductus. Adiecta x milia medimnum frumenti. Haec
omnia intra sex dies exacta.

extenuo : disparage.

194. *Pompey prepares to quit Italy.*

Prope dimidia parte operis a Caesare effecta diebusque
in ea re consumptis VIIII, naves a consulibus Dyrrachio

remissae, quae priorem partem exercitus eo deportaverant,
Brundisium revertuntur. Pompeius, sive operibus Caesaris
permotus sive etiam quod ab initio Italia excedere con-
stituerat, adventu navium profectionem parare incipit et,
quo facilius impetum Caesaris tardaret, ne sub ipsa profectione milites oppidum irrumperent, portas obstruit,
vicos plateasque inaedificat, fossas transversas viis prae-
ducit atque ibi sudes stipitesque praeacutos defigit.
Haec levibus cratibus terraque inaequat ; aditus autem
atque itinera duo, quae extra murum ad portum ferebant,
maximis defixis trabibus atque eis praeacutis praesepit.
His paratis rebus milites silentio naves conscendere iubet,
expeditos autem ex evocatis, sagittariis funditoribusque
raros in muro turribusque disponit. Hos certo signo revocare constituit, cum omnes milites naves conscendis-
sent, atque eis expedito loco actuaria navigia relinquit.

195. *Cadmus, banished by his father Agenor, is led
by a sign to Boeotia.*

> Profugus patriamque iramque parentis
> vitat Agenorides Phoebique oracula supplex
> consulit et quae sit tellus habitanda requirit.
> ' bos tibi ' Phoebus ait ' solis occurret in arvis,
> nullum passa iugum curvique immunis aratri.
> hac duce carpe vias et, qua requieverit herba,
> moenia fac condas Boeotiaque illa vocato.'
> vix bene Castalio Cadmus descenderat antro,
> incustoditam lente videt ire iuvencam
> nullum servitii signum cervice gerentem.
> subsequitur pressoque legit vestigia gressu
> auctoremque viae Phoebum taciturnus adorat.
> iam vada Cephisi Panopesque evaserat arva :
> bos stetit et tollens speciosam cornibus altis
> ad caelum frontem mugitibus impulit auras,

atque ita respiciens comites sua terga sequentes
procubuit, teneraque latus submisit in herba.
Cadmus agit grates, peregrinaeque oscula terrae
figit et ignotos montes agrosque salutat.

196. *P. Rutilius Rufus resembled Socrates in his trial.*

Imitatus est homo Romanus et consularis veterem
illum Socratem, qui, cum omnium sapientissimus esset
sanctissimeque vixisset, ita in iudicio capitis pro se ipse
dixit ut non supplex aut reus sed magister aut dominus
videretur esse iudicum. Quin etiam, cum ei scriptam
orationem disertissimus orator Lysias attulisset, quam, si
ei videretur, edisceret, ut ea pro se in iudicio uteretur,
non invitus legit et commode scriptam esse dixit; 'sed'
inquit 'ut, si mihi calceos Sicyonios attulisses, non uterer,
quamvis essent habiles et apti ad pedem, quia non essent
viriles'; sic illam orationem disertam sibi et oratoriam
videri, fortem et virilem non videri. Ergo ille quoque
damnatus est; neque solum primis sententiis, quibus
tantum statuebant iudices, damnarent an absolverent, sed
etiam illis quas iterum legibus ferre debebant.

197. *The city of Capua disgraces itself for ever, 216 B.C.*

Legati ad Hannibalem venerunt pacemque cum eo condicionibus his fecerunt: ne quis imperator magistratusve
Poenorum ius ullum in civem Campanum haberet, neve
civis Campanus invitus militaret munusve faceret; ut
suae leges, sui magistratus Capuae essent; ut trecentos
ex Romanis captivis Poenus daret Campanis, quos ipsi
elegissent, cum quibus equitum Campanorum, qui in
Sicilia stipendia facerent, permutatio fieret. Haec pacta;
illa insuper, quam quae pacta erant, facinora Campani
ediderunt: nam praefectos socium civisque Romanos

alios, partim aliquo militiae munere occupatos, partim
privatis negotiis implicitos, plebs repente omnis compre-
hensos velut custodiae causa balneis includi iussit, ubi
fervore atque aestu anima interclusa foedum in modum
expirarent.

balneae : baths.

198. *Ovid commiserates with his wife and flatters his Emperor.*

Quod te nescioquis per iurgia dixerit esse
    exulis uxorem, littera questa tua est.
indolui, non tam mea quod fortuna male audit,
    qui iam consuevi fortiter esse miser,
quam quod, cui minime vellem, sum causa pudoris,
    teque reor nostris erubuisse malis.
perfer et obdura ; multo graviora tulisti,
    eripuit cum me principis ira tibi.
fallitur iste tamen, quo iudice nominor exul :
    mollior est culpam poena secuta meam.
maxima poena mihi est ipsum offendisse, priusque
    venisset mallem funeris hora mihi.
quassa tamen nostra est, non mersa nec obruta navis,
    utque caret portu, sic tamen exstat aquis.
nec vitam nec opes nec ius mihi civis ademit,
    qui merui vitio perdere cuncta meo.

erubesco : blush.

199. *Hercules recovers his stolen cattle.*

Ibi cum eum cibo vinoque gravatum sopor oppressisset,
pastor accola eius loci nomine Cacus, ferox viribus, captus
pulcritudine boum cum avertere eam praedam vellet,
quia, si agendo armentum in speluncam compulisset, ipsa
vestigia quaerentem dominum eo deductura erant, aversos
boves, eximium quemque pulcritudine, caudis in speluncam traxit.   Hercules ad primam auroram somno excitus
cum gregem perlustrasset oculis et partem abesse numero

sensisset, pergit ad proximam speluncam, si forte eo
vestigia ferrent. Quae ubi omnia foras versa vidit nec
in partem aliam ferre, confusus atque incertus animi ex loco
infesto agere porro armentum occepit. Inde cum actae
boves quaedam ad desiderium, ut fit, relictarum mugis-
sent, reddita inclusarum ex spelunca boum vox Herculem
convertit. Quem cum ad speluncam vadentem Cacus vi
prohibere conatus esset, ictus clava fidem pastorum
nequiquam invocans mortem occubuit.

200. *The end of Milo.*

Milo Crotonensis, athleta inlustris, quem in chronicis
scriptum est Olympiade LXII primum coronatum esse,
exitum habuit e vita miserandum et mirandum. Cum
iam natu grandis artem athleticam desisset iterque faceret
forte solus in locis Italiae silvestribus, quercum vidit
proxime viam patulis in parte media rimis hiantem. Tum
experiri, credo, etiam tunc volens, an ullae sibi reliquae
vires adessent, immissis in cavernas arboris digitis, didu-
cere et rescindere quercum conatus est. Ac mediam
quidem partem discidit divellitque; quercus autem in
duas diducta partis, cum ille, quasi perfecto quod erat
conixus manus laxasset, cessante vi rediit in naturam
manibusque eius retentis inclusisque stricta denuo et
cohaesa, dilacerandum hominem feris praebuit.

rima: crack, chink.

201. *Kindness repaid: the panther and the rustics.*

Panthera imprudens olim in foveam decidit.
videre agrestes: alii fustes congerunt,
alii onerant saxis: quidam contra miseriti
periturae quippe, quamvis nullum laederet,
misere panem ut sustineret spiritum.
nox insecuta est: abeunt securi domum,

quasi inventuri mortuam postridie.
at illa, vires ut refecit languidas,
veloci saltu fovea sese liberat,
et in cubile concito properat gradu.
paucis diebus interpositis provolat,
pecus trucidat, ipsos pastores necat,
et cuncta vastans saevit irato impetu.
tum sibi timentes qui ferae pepercerant
damnum haud recusant, tantum pro vita rogant.
at illa 'memini quis me saxo petierit,
quis panem dederit : vos timere absistite :
illis revertor hostis qui me laeserunt.'

fovea : pit, trap.

202. *Divided counsels.*

Inter hostes variae fuere sententiae.   Faliscus, procul
ab domo militiam aegre patiens satisque fidens sibi,
poscere pugnam ; Veienti Fidenatique plus spei in
trahendo bello esse.   Tolumnius, quamquam suorum
magis placebant consilia, ne longinquam militiam non
paterentur Falisci, postero die se pugnaturum edicit.
Dictatori ac Romanis, quod detrectasset pugnam hostis,
animi accessere ; posteroque die, iam militibus castra
urbemque se oppugnaturos frementibus, ni copia pugnae
fiat, utrimque acies inter bina castra in medium campi
procedunt.   Veiens multitudine abundans, qui inter
dimicationem castra Romana adgrederentur, post montes
circummisit.   Trium populorum exercitus ita stetit
instructus, ut dextrum cornu Veientes, sinistrum Falisci
tenerent, medii Fidenates essent.

203. *'Half-regain'd Eurydice.'*

                    Umbras erat illa recentes
inter, et incessit passu de vulnere tardo :
hanc simul et legem Rhodopeius accipit heros,
ne flectat retro sua lumina, donec Avernas

exierit valles : aut irrita dona futura.
carpitur acclivis per muta silentia trames,
arduus, obscurus, caligine densus opaca :
nec procul afuerunt telluris margine summae.
hic, ne deficeret metuens avidusque videndi,
flexit amans oculos, et protinus illa relapsa est :
bracchiaque intendens, prendique et prendere certans
nil nisi cedentes infelix arripit auras.
iamque iterum moriens non est de coniuge quicquam
questa suo : quid enim nisi se quereretur amatam ?
supremumque ' vale ', quod iam vix auribus ille
acciperet, dixit ; revolutaque rursus eodem est.

trames : path.

204. *Cicero urges Catiline as a public enemy to leave the city.*

Quae cum ita sint, Catilina, perge quo coepisti, egredere aliquando ex urbe; patent portae: proficiscere.
Nimium diu te imperatorem tua illa Manliana castra
desiderant.   Educ tecum etiam omnes tuos : si minus,
quam plurimos ; purga urbem.   Magno me metu libera-
veris, dum modo inter me atque te murus intersit.   Nobis-
cum versari iam diutius non potes : non feram, non
patiar, non sinam.   Magna dis immortalibus habenda est
atque huic ipsi Iovi Statori, antiquissimo custodi huius
urbis, gratia, quod hanc tam taetram, tam horribilem
tamque infestam reipublicae pestem totiens iam effugimus.
Non est saepius in uno homine salus periclitanda reipublicae.   Quam diu mihi, consuli designato, Catilina, insidia-
tus es, non publico me praesidio, sed privata diligentia
defendi: cum proximis comitiis consularibus me consulem
in Campo et competitores tuos interficere voluisti, com-
pressi conatus tuos nefarios amicorum praesidio et copiis,
nullo tumultu publice concitato. . . . Nunc iam aperte
rempublicam universam petis.

comitia : election.

205. *Aeneas begs the Sibyl to allow him to visit his father in the underworld.*

Ire ad conspectum cari genitoris et ora
contingat ; doceas iter, et sacra ostia pandas.
illum ego per flammas et mille sequentia tela
eripui his umeris, medioque ex hoste recepi ;
ille, meum comitatus iter, maria omnia mecum
atque omnes pelagique minas caelique ferebat,
invalidus, vires ultra sortemque senectae.
quin, ut te supplex peterem, et tua limina adirem,
idem orans mandata dabat. gnatique patrisque,
alma, precor, miserere, potes namque omnia, nec te
nequiquam lucis Hecate praefecit Avernis.
si potuit manes arcessere coniugis Orpheus,
Threicia fretus cithara fidibusque canoris ;
si fratrem Pollux alterna morte redemit,
itque reditque viam totiens— quid Thesea magnum,
quid memorem Alciden ? et mi genus ab Iove summo.

        fides : strings.

206. *Caesar determines to blockade Pompey.*

Quibus rebus cognitis, Caesar consilium capit ex loci
natura. Erant enim circum castra Pompei permulti editi
atque asperi colles. Hos primum praesidiis tenuit,
castellaque ibi communiit. Inde, ut loci cuiusque natura
ferebat, ex castello in castellum perducta munitione cir-
cumvallare Pompeium instituit, haec spectans, quod
angusta re frumentaria utebatur, quodque Pompeius
multitudine equitum valebat, quo minore periculo undique frumentum commeatumque exercitui supportare
posset ; simul uti pabulatione Pompeium prohiberet,
equitatumque eius ad rem gerendam inutilem efficeret ;
tertio, ut auctoritatem, qua ille maxime apud exteras
nationes niti videbatur, minueret, cum fama per orbem

terrarum percrebruisset, illum a Caesare obsideri, neque
audere proelio dimicare.

207. *Ovid's unhappy life must excuse any defects in his writing.*

Carmina proveniunt animo deducta sereno:
    nubila sunt subitis tempora nostra malis.
carmina secessum scribentis et otia quaerunt:
    me mare, me venti, me fera iactat hiems.
carminibus metus omnis abest: ego perditus ensem
    haesurum iugulo iam puto iamque meo.
haec quoque quod facio, iudex mirabitur aequus,
    scriptaque cum venia qualiacumque leget.
da mihi Maeoniden et tot circumspice casus,
    ingenium tantis excidet omne malis.
denique securus famae, liber, ire memento,
    nec tibi sit lecto displicuisse pudor.
non ita se praebet nobis Fortuna secundam
    ut tibi sit ratio laudis habenda tuae.

securus : heedless.

208. *A difficult campaign.*

Erat, ut supra demonstravimus, manus certa nulla, non
oppidum, non praesidium, quod se armis defenderet,
sed omnis in partis dispersa multitudo. Ubi cuique aut
vallis abdita aut locus silvestris aut palus impedita spem
praesidii aut salutis aliquam offerebat, consederat. Haec
loca vicinitatibus erant nota, magnamque res diligentiam
requirebat, non in summa exercitus tuenda (nullum enim
poterat universis ab perterritis ac dispersis periculum accidere), sed in singulis militibus conservandis; quae
tamen ex parte res ad salutem exercitus pertinebat. Nam
et praedae cupiditas multos longius evocabat, et silvae incertis occultisque itineribus confertos adire prohibebant.
Si negotium confici stirpemque hominum sceleratorum
interfici vellet, dimittendae plures manus, diducendique

erant milites ; si continere ad signa manipulos vellet, ut
instituta ratio et consuetudo exercitus Romani postulabat,
locus ipse erat praesidio barbaris, neque ex occulto insidi-
andi et dispersos circumveniendi singulis deerat audacia.

209. *The ceremony of purification of the fields.*

Casta placent superis : pura cum veste venite
  et manibus puris sumite fontis aquam.
cernite fulgentes ut eat sacer agnus ad aras
  vinctaque post olea candida turba comas.
di patrii, purgamus agros, purgamus agrestes :
  vos mala de nostris pellite limitibus,
neu seges eludat messem fallacibus herbis,
  neu timeat celeres tardior agna lupos.
tunc nitidus plenis confisus rusticus agris
  ingeret ardenti grandia ligna foco,
turbaque vernarum, saturi bona signa coloni,
  ludet et ex virgis exstruet ante casas.
    verna : slave.

210. *The towns of the Veneti.*

Erant eiusmodi fere situs oppidorum ut posita in extremis lingulis promunturiisque neque pedibus aditum haberent, cum ex alto se aestus incitavisset, quod bis accidit
semper horarum duodecim spatio, neque navibus, quod
rursus minuente aestu, naves in vadis afflictarentur.   Ita
utraque re oppidorum oppugnatio impediebatur; ac si
quando magnitudine operis forte superati, extruso mari
aggere ac molibus, atque his oppidi moenibus adaequatis,
suis fortunis desperare coeperant, magno numero navium
appulso, cuius rei summam facultatem habebant, sua de-
portabant omnia, seque in proxima oppida recipiebant :
ibi se rursus isdem opportunitatibus loci defendebant.
Haec eo facilius magnam partem aestatis faciebant, quod
nostrae naves tempestatibus detinebantur, summaque erat

vasto atque aperto mari, magnis aestibus, raris ac prope
nullis portibus, difficultas navigandi.

211. *Simple Diplomatists.*

Ubi cum iam opera admoveret, veniunt legati ex oppido, quorum sermo antiquae simplicitatis fuit, non dissimu-
lantium bellaturos, si vires essent. Petierunt enim, ut sibi
in castra Celtiberorum ire liceret ad auxilia accienda ;
si non impetrassent, tum separatim ab illis se consulturos.
Permittente Graccho ierunt, et post paucis diebus alios
decem legatos secum adduxerunt. Meridianum tempus
erat. Nihil prius petierunt a praetore, quam ut bibere sibi
iuberet dari. Epotis primis poculis, iterum poposcerunt,
magno risu circumstantium in tam rudibus et moris omnis
ignaris ingeniis. Tum maximus natu ex iis, ' missi sumus,'
inquit, 'a gente nostra, qui sciscitaremur, qua tandem re
fretus arma nobis inferres.' Ad hanc percontationem
Gracchus exercitu se egregio fidentem venisse respondit ;
quem si ipsi visere velint, quo certiora ad suos referant,
potestatem se eis facturum esse ; tribunoque militum imperat ut ornari omnes copias peditum equitumque et
decurrere iubeat armatas.

212. *After the Thracian Bacchantes had torn*
Orpheus limb from limb.

Te maestae volucres, Orpheu, te turba ferarum,
te rigidi silices, te carmina saepe secutae
fleverunt silvae, positis te frondibus arbor
tonsa comam luxit. lacrimis quoque flumina dicunt
increvisse suis, obscuraque carbasa pullo
Naides et Dryades passosque habuere capillos.
membra iacent diversa locis. caput, Hebre, lyramque
excipis : et (mirum) medio dum labitur amne,
flebile nescioquid queritur lyra, flebile lingua
murmurat exanimis, respondent flebile ripae.

iamque mare invectae flumen populare relinquunt,
et Methymnaeae potiuntur litore Lesbi.
hic ferus expositum peregrinis anguis harenis
os petit et sparsos stillanti rore capillos.
tandem Phoebus adest, morsusque inferre parantem
arcet, et in lapidem rictus serpentis apertos
congelat et patulos, ut erant, indurat hiatus.

pullus : adj. black, here subst.; *popularis* : native ; *rictus* : jaws.

213. *Let Catiline's party at least declare themselves, and we shall know how to defend Rome against them.*

Ut saepe homines aegri morbo gravi, cum aestu
febrique iactantur, si aquam gelidam biberunt, primo
relevari videntur, deinde multo gravius vehementiusque
adflictantur, sic hic morbus qui est in republica, releva-
tus istius poena, vehementius vivis reliquis ingravescet.
Quare secedant improbi, secernant se a bonis, unum in
locum congregentur, muro denique, id quod saepe iam
dixi, discernantur a nobis ; desinant insidiari domi suae
consuli, circumstare tribunal praetoris urbani, obsidere
cum gladiis curiam, malleolos et faces ad inflammandam
urbem comparare : sit denique inscriptum in fronte unius
cuiusque, quid de republica sentiat. Polliceor vobis
hoc, patres conscripti, tantam in nobis consulibus fore
diligentiam, tantam in vobis auctoritatem, tantam in
equitibus Romanis virtutem, tantam in omnibus bonis
consensionem, ut Catilinae profectione omnia patefacta,
inlustrata, oppressa, vindicata esse videatis.

malleolus : fire-dart.

214. *Sleep beguiles the helmsman of Aeneas.*

Iamque fere mediam caeli nox umida metam
contigerat, placida laxabant membra quiete
sub remis fusi per dura sedilia nautae ;
cum levis aetheriis delapsus Somnus ab astris

aëra dimovit tenebrosum et dispulit umbras,
te, Palinure, petens, tibi tristia somnia portans
insonti: puppique deus consedit in alta,
Phorbanti similis, funditque has ore loquelas:
'Iaside Palinure, ferunt ipsa aequora classem,
aequatae spirant aurae, datur hora quieti:
pone caput, fessosque oculos furare labori;
ipse ego paulisper pro te tua munera inibo.'
cui vix attollens Palinurus lumina fatur:
'mene salis placidi vultum fluctusque quietos
ignorare iubes? mene huic confidere monstro?'

215. *Etiquette in swearing.*

In veteribus scriptis neque mulieres Romanae per
Herculem deiurant neque viri per Castorem. Sed cur
illae non iuraverint Herculem non obscurum est, nam
Herculaneo sacrificio abstinent: cur autem viri Castorem
iurantes non appellaverint non facile dictu est. Nusquam
igitur scriptum invenire est, apud idoneos quidem scriptores, aut 'mehercle' feminam dicere aut 'mecastor'
virum; 'edepol' autem, quod iusiurandum per Pollucem
est, et viro et feminae commune est. Sed M. Varro adse-
verat antiquissimos viros neque per Castorem neque per
Pollucem deiurare solitos, sed id iusiurandum fuisse tantum feminarum, ex initiis Eleusinis acceptum; paulatim
tamen inscitia antiquitatis viros dicere 'edepol' coepisse
factumque esse ita dicendi morem, sed 'mecastor' a viro
dici in nullo vetere scripto inveniri.

216. '*Midas the king has ass's ears.*'

Ille quidem celare cupit, turpique pudore
tempora purpureis temptat velare tiaris.
sed solitus longos ferro resecare capillos
viderat hoc famulus. qui cum nec prodere visum
dedecus auderet, cupiens efferre sub auras,

nec posset reticere tamen, secedit humumque
effodit et, domini quales aspexerit aures,
voce refert parva, terraeque immurmurat haustae ;
indiciumque suae vocis tellure regesta
obruit, et scrobibus tacitus discedit opertis.
creber arundinibus tremulis ibi surgere lucus
coepit, et, ut primum pleno maturuit anno,
prodidit agricolam ; leni nam motus ab austro
obruta verba refert, dominique coarguit aures.

scrobes : hole.

217. *Must the good orator be a good man?*

Nunc de iis dicendum est, quae mihi quasi conspira-
tione quadam vulgi reclamari videntur. Orator ergo
Demosthenes non fuit ? atqui malum virum accepimus.
Non Cicero ? atqui huius quoque mores multi reprehen-
derunt. Quid agam ? magna responsi invidia subeunda
est, mitigandae sunt prius aures. Mihi enim nec Demosthenes tam gravi morum dignus videtur invidia, ut
omnia quae in eum ab inimicis congesta sunt credam,
cum et pulcherrima eius in republica consilia et finem
vitae clarum legam, nec Marco Tullio defuisse video in
ulla parte civis optimi voluntatem.

reclamo : object.

218. HOC · DIE · CAESAR · PONTIF · MAXIM · FACT · EST

Sextus ubi Oceano clivosum scandit Olympum
    Phoebus, et alatis aethera carpit equis,
quisquis ades castaeque colis penetralia Vestae,
    gratare, Iliacis turaque pone focis.
Caesaris innumeris, quo maluit ille mereri,
    accessit titulis pontificalis honor.
ignibus aeternis aeterni numina praesunt
    Caesaris ; imperii pignora iuncta vides.
di veteris Troiae, dignissima praeda ferenti,
    qua gravis Aeneas tutus ab hoste fuit !

ortus ab Aenea tangit cognata sacerdos
   numina : cognatum, Vesta, tuere caput.
quos sancta fovet ille manu, bene vivitis ignes.
   vivite inextincti, flammaque duxque, precor.

grator : rejoice.

219. *Jugurtha's estimate of Rome.*

Adherbal, bello petitus a Iugurtha, et in oppido Cirta
obsessus, contra denuntiationem senatus ab eo occisus
est. Ob hoc ipsi Iugurthae bellum indictum : idque
Calpurnius Bestia consul gerere iussus pacem cum
Iugurtha iniussu populi et senatus fecit. Iugurtha, fide
publica evocatus ad indicandos auctores consiliorum
suorum, quod multos pecunia in senatu corrupisse
dicebatur, Romam venit, et propter caedem admissam in
regulum quendam, nomine Massivam, qui regnum eius
populo Romano invisi adfectabat, Romae interfectum,
cum periclitaretur, causam capitis dicere iussus, clam profugit, et cedens urbe fertur dixisse : 'o urbem venalem
et cito perituram, si emptorem invenerit !' A. Postumius
legatus infeliciter proelio adversus Iugurtham gesto pacem
quoque adiecit ignominiosam, quam non esse servandam
senatus censuit.

adfecto : claim.

220. *Ovid's offence gives the Emperor an occasion to show his clemency.*

His precor exemplis tua nunc, mitissime Caesar,
   fiat ab ingenio mollior ira meo.
illa quidem iusta est, nec me meruisse negabo :
   non adeo nostro fugit ab ore pudor.
sed, nisi peccassem, quid tu concedere posses ?
   materiam veniae sors tibi nostra dedit.
si, quoties peccant homines, sua fulmina mittat
   Iuppiter, exiguo tempore inermis erit.

nunc, ubi detonuit, strepituque exterruit orbem,
　purum discussis aera reddit aquis.
iure igitur genitorque deum rectorque vocatur ;
　iure capax mundus nil Iove maius habet.
tu quoque, cum patriae rector dicare paterque,
　utere more dei nomen habentis idem.
idque facis ; nec te quisquam moderatius umquam
　imperii potuit frena tenere sui.

PART III

221-340

221. *A question of precedence.*

Maxima autem diligentia maiores hunc morem retinuerunt, ne quis se inter consulem et proximum lictorem, quamvis officii causa una progrederetur, interponeret: filio dumtaxat, et ei puero, ante patrem consulem ambulandi ius erat.   Qui mos adeo pertinaciter retentus est, ut Q. Fabius Maximus quinquies consul, vir etiam pridem summae auctoritatis, et tunc ultimae senectutis, a filio consule invitatus ut inter se et lictorem procederet, ne hostium Samnitium turba ad quorum colloquium descendebant elideretur, id facere noluerit.   Idem a senatu legatus ad filium consulem Suessam missus, postquam animadvertit eum ad officium suum extra moenia oppidi processisse, indignatus quod ex lictoribus XI nemo se equo descendere iussisset, plenus irae sedere perseveravit. Quod cum filius sensisset, proximo lictori ut sibi appareret imperavit.   Cuius voci Fabius continuo obsecutus, 'non ego' inquit, 'fili, summum imperium tuum contempsi, sed experiri volui an scires consulem agere. nec ignoro quid patriae venerationi debeatur: verum publica instituta privata pietate potiora iudico.'

222. *A prayer to Isis.*

'Isi, Paraetonium, Mareoticaque arva, Pharonque
quae colis, et septem digestum in cornua Nilum ·
fer, precor', inquit, 'opem, nostroque medere timori.
te, dea, te quondam tuaque haec insignia vidi :
cunctaque cognovi, comitesque, facesque, sonumque
sistrorum, memorique animo tua iussa notavi.
quod videt haec lucem, quod non ego punior ipsa,
consilium monitumque tuum est.   miserere duarum
auxilioque iuva.'   lacrimae sunt verba secutae.
visa dea est movisse suas, et moverat, aras :

et templi tremuere fores, imitataque lunam
cornua fulserunt, crepuitque sonabile sistrum.
non secura quidem, fausto tamen omine laeta
mater abit templo.

sistrum : rattle.

223. *The Sabines threaten Rome.*

Sed novus subito additus terror est. Vis Sabinorum
ingens prope ad moenia urbis infesta populatione venit ;
foedati agri, terror iniectus urbi est. Tum plebs benigne
arma cepit ; reclamantibus frustra tribunis magni duo
exercitus scripti. Alterum Nautius contra Sabinos duxit,
castrisque ad Eretum positis, per expeditiones parvas,
plerumque nocturnis incursionibus, tantam vastitatem in
Sabino agro reddidit ut comparati ad eam prope intacti
bello fines Romani viderentur. Minucio neque fortuna
nec vis animi eadem in gerendo negotio fuit ; nam cum
hauɑ procul ab hoste castra posuisset, nulla magnopere
clade accepta castris se pavidus tenebat. Quod ubi sen-
serant hostes, crevit ex metu alieno, ut fit, audacia, et
nocte adorti castra, postquam parum vis aperta profecerat,
munitiones postero die circumdant. Quae priusquam
undique vallo obiectae clauderent exitus quinque equites
inter stationes hostium emissi Romam pertulere consulem
exercitumque obsideri.

224. *Ovid's appeal to Augustus.*

Parce, precor, fulmenque tuum, fera tela, reconde,
    heu nimium misero cognita tela mihi !
parce, pater patriae, nec nominis immemor huius
    olim placandi spem mihi tolle tui.
non precor ut redeam, quamvis maiora petitis
    credibile est magnos saepe dedisse deos :
mitius exilium si das propiusque roganti,
    pars erit ex poena magna levata mea.

ultima perpetior medios eiectus in hostes,
  nec quisquam patria longius exul abest.
cumque alii causa tibi sint graviore fugati,
  ulterior nulli quam mihi terra data est.
haec est Ausonio sub iure novissima, vixque
  haeret in imperii margine terra tui.

225. *An active commander.*

Commota pedestri acie Samnitium eques in pugnam
succedit. In hunc transverso agmine inter duas acies se
inferentem Romanus equitatus concitat equos signaque
et ordines peditum atque equitum confundit, donec
universam ab ea parte avertit aciem. In eo cornu non
Poetelius solus sed Sulpicius etiam hortator adfuerat,
avectus ab suis nondum conserentibus manus ad clamorem a sinistra parte prius exortum. Unde haud
dubiam victoriam cernens cum ad suum cornu tenderet
cum mille ducentis viris, dissimilem ibi fortunam invenit,
Romanos loco pulsos, victorem hostem signa in perculsos
inferentem. Ceterum omnia mutavit repente consulis
adventus; nam et conspectu ducis refectus militum est
animus, et maius quam pro numero auxilium advenerant
fortes viri, et partis alterius victoria audita, mox visa
etiam, proelium restituit. Tota deinde iam vincere acie
Romanus, et omisso certamine caedi capique Samnites,
nisi qui Maleventum, cui nunc urbi Beneventum nomen
est, perfugerunt. Ad triginta milia caesa aut capta Samnitium proditum memoriae est.

226. *Famine visits Erysichthon: his Gargantuan appetite.*

Lenis adhuc somnus placidis Erysichthona pennis
mulcebat: petit ille dapes sub imagine somni,
oraque vana movet, dentemque in dente fatigat,
exercetque cibo delusum guttur inani,
proque epulis tenues nequiquam devorat auras.

ut vero est expulsa quies, furit ardor edendi,
perque avidas fauces immensaque viscera regnat.
nec mora : quod pontus, quod terra, quod educat aer,
poscit, et appositis queritur ieiunia mensis,
inque epulis epulas quaerit : quodque urbibus esse,
quodque satis populo poterat, non sufficit uni.
plusque cupit quo plura suum demittit in alvum.
utque fretum recipit de tota flumina terra,
nec satiatur aquis, peregrinosque ebibit amnes :
utque rapax ignis non unquam alimenta recusat,
innumerasque trabes cremat, et, quo copia maior
est data, plura petit, turbaque voracior ipsa est :
sic epulas omnes Erysichthonis ora profani
accipiunt poscuntque simul.   cibus omnis in illo
causa cibi est, semperque locus fit inanis edendo.

ieiunium : fasting, hunger.

227. *Pliny asks for consolation on the death of his friend, Corellius Rufus.*

Cogito, quo amico, quo viro careum.   Implevit quidem
annum septimum et sexagensimum, quae aetas etiam
robustissimis satis longa est ; scio.   Evasit perpetuam
valetudinem ; scio.   Decessit superstitibus suis, florente
re publica, quae illi omnibus suis carior erat ; et hoc
scio.   Ego tamen tamquam et iuvenis et firmissimi mortem doleo, doleo autem (licet me imbecillum putes) meo
nomine.   Amisi enim, amisi vitae meae testem, rectorem,
magistrum.   In summa dicam, quod recenti dolore con-
tubernali meo Calvisio dixi : 'vereor ne neglegentius
vivam.'   Proinde adhibe solacia mihi, non haec : 'senex
erat, infirmus erat' (haec enim novi), sed nova aliqua, sed
magna, quae audierim numquam, legerim numquam.
Nam, quae audivi, quae legi, sponte succurrunt, sed tanto
dolore superantur.   Vale.

contubernalis : comrade.

228. *Nature renews her youth: Man alone dies and is gone.*

Diffugere nives, redeunt iam gramina campis
arboribusque comae ;
mutat terra vices, et decrescentia ripas
flumina praetereunt ;
Gratia cum Nymphis geminisque sororibus audet
ducere nuda choros.

immortalia ne speres, monet annus et almum
quae rapit hora diem :
frigora mitescunt Zephyris, ver proterit aestas
interitura ,simul
pomifer autumnus fruges effuderit, et mox
bruma recurrit iners.

damna tamen celeres reparant caelestia lunae :
nos ubi decidimus
quo pater Aeneas, quo Tullus dives et Ancus,
pulvis et umbra sumus.

229. *An army promises to wipe out its disgrace.*

Eodem anno in Aequis varie bellatum, adeo ut in
incerto fuerit et apud ipsos exercitus et Romae, vicissent
victine essent. Imperatores Romani fuere ex tribunis
militum C. Aemilius, Sp. Postumius. Primo rem com-
muniter gesserunt ; fusis inde acie hostibus Aemilium
praesidio Verruginem obtinere placuit, Postumium fines
vastare. Ibi eum incomposito agmine neglegentius ab
re bene gesta euntem adorti Aequi terrore iniecto in
proximos compulere tumulos; pavorque inde Verruginem
etiam ad praesidium alterum est perlatus. Postumius suis
in tutum receptis cum contione advocata terrorem incre-
paret ac fugam, fusos esse ab ignavissimo ac fugacissimo
hoste, conclamat universus exercitus merito se ea audire
et fateri admissum flagitium, sed eosdem correcturos esse

neque diuturnum id gaudium hostibus **fore**. Poscentes,
ut confestim inde ad castra hostium duceret—et in conspectu erant posita in plano—, nihil poenae recusabant,
ni ea ante noctem expugnassent.

230. *The entry of the wooden horse into Troy.*

Dividimus muros et moenia pandimus urbis.
accingunt omnes operi, pedibusque rotarum
subiciunt lapsus, et stuppea vincula collo
intendunt.   scandit fatalis machina muros,
feta armis : pueri circum innuptaeque puellae
sacra canunt, funemque manu contingere gaudent.
illa subit, mediaeque minans inlabitur urbi.
o patria, o divom domus Ilium, et incluta bello
moenia Dardanidum ! quater ipso in limine portae
substitit, atque utero sonitum quater arma dedere.
instamus tamen immemores caecique furore,
et monstrum infelix sacrata sistimus arce.
tunc etiam fatis aperit Cassandra futuris
ora, dei iussu non unquam credita Teucris
nos delubra deum miseri, quibus ultimus esset
ille dies, festa velamus fronde per urbem.

stuppeus : of tow.

231. *A comparison between Julius Caesar and Marcus Cato.*

Igitur his genus, aetas, eloquentia prope aequalia
fuere ; magnitudo animi par, item gloria ; sed alia alii.
Caesar beneficiis ac munificentia magnus habebatur,
integritate vitae Cato. Ille mansuetudine et misericordia
clarus factus, huic severitas dignitatem addiderat. Caesar
dando, sublevando, ignoscendo, Cato nihil largiendo
gloriam adeptus. In altero miseris perfugium, in altero
malis pernicies ; illius facilitas, huius constantia laudaba-
tur. Postremo Caesar in animum induxerat laborare,
vigilare ; negotiis amicorum intentus, sua negligere, nihil

denegare, quod dono dignum esset; sibi magnum imperium, exercitum, novum bellum exoptabat, ubi virtus enitescere posset. At Catoni studium modestiae, decoris, sed maxime severitatis erat. Non divitiis cum divite, neque factione cum factioso, sed cum strenuo virtute, cum modesto pudore, cum innocente abstinentia certabat; esse quam videri bonus malebat: ita quo minus gloriam petebat, eo magis sequebatur.

232. *Patriotism among bees.*

Ergo ipsas quamvis angusti terminus aevi
excipiat (neque enim plus septima ducitur aestas),
at genus immortale manet, multosque per annos
stat fortuna domus, et avi numerantur avorum.
praeterea regem non sic Aegyptus et ingens
Lydia nec populi Parthorum aut Medus Hydaspes
observant. rege incolumi mens omnibus una est;
amisso, rupere fidem, constructaque mella
diripuere ipsae et cratis solvere favorum.
ille operum custos, illum admirantur et omnes
circumstant fremitu denso stipantque frequentes,
et saepe attollunt umeris et corpora bello
obiectant pulchramque petunt per vulnera mortem.
favus: comb; *cratis:* frame.

233. *A rude interruption at a poet's reading.*

Mirificae rei non interfuisti, ne ego quidem; sed me recens fabula excepit. Passennus Paulus, splendidus eques Romanus et in primis eruditus, scribit elegos. Gentilicium hoc illi; est enim municeps Properti atque etiam inter maiores suos Propertium numerat. Is cum recitaret, ita coepit dicere: 'Prisce, iubes.' Ad hoc Iavolenus Priscus (aderat enim ut Paulo amicissimus): 'ego vero non iubeo.' Cogita, qui risus hominum, qui ioci. Est omnino Priscus dubiae sanitatis, interest tamen officiis, adhibetur consiliis atque etiam ius civile publice

respondet.   Quo magis quod tunc fecit et ridiculum et
notabile fuit.   Interim Paulo aliena deliratio aliquantum
frigoris attulit.   Tam sollicite recitaturis providendum
est, non solum ut sint ipsi sani, verum etiam ut sanos
adhibeant.   Vale.

gentilicius : belonging to the ' gens '.

234. *Troy is twice ruined by its own dishonesty.*

Inde novae primum moliri moenia Troiae
Laomedonta videt, susceptaque magna labore
crescere difficili, nec opes exposcere parvas :
cumque tridentigero tumidi genitore profundi
mortalem induitur formam ; Phrygiaeque tyranno
aedificat muros, pactus pro moenibus aurum.
stabat opus : pretium rex infitiatur, et addit
perfidiae cumulum, falsis peiuria verbis.
' non impune feres', rector maris inquit : et omnes
inclinavit aquas ad avarae litora Troiae,
inque freti formam terras convertit, opesque
abstulit agricolis et fluctibus obruit arva.
poena nec haec satis est : regis quoque filia monstro
poscitur aequoreo.   quam dura ad saxa revinctam
vindicat Alcides ; promissaque munera, dictos
poscit equos : tantique operis mercede negata,
bis peiura capit superatae moenia Troiae.

235. *Cicero's irony at the expense of the lazy Verres.*

Itinerum primum laborem, qui vel maximus est in re
militari, iudices, et in Sicilia maxime necessarius, accipite
quam facilem sibi iste et iucundum ratione consilioque
reddiderit. Primum temporibus hibernis ad magnitudinem
frigorum et ad tempestatum vim ac fluminum praeclarum
hoc sibi remedium compararat : urbem Syracusas elegerat,
cuius hic situs atque haec natura esse loci caelique dicitur ut nullus umquam dies tam magna ac turbulenta

tempestate fuerit quin aliquo tempore eius diei solem
homines viderint.   Hic ita vivebat iste bonus imperator
hibernis mensibus ut eum non facile non modo extra
tectum, sed ne extra lectum quidem quisquam viderit.
Cum autem ver esse coeperat, cuius initium iste non a
Favonio neque ab aliquo astro notabat, sed cum rosam
viderat, tum incipere ver arbitrabatur, dabat se labori
atque itineribus, in quibus eo usque se praebebat patien-
tem atque impigrum ut eum nemo unquam in equo
sedentem viderit !

236. '*In a strange land.*'

In paucis remanent Graecae vestigia linguae,
    haec quoque iam Getico barbara facta sono.
unus in hoc populo nemo est qui forte Latine
    quaelibet e medio reddere verba queat.
ille ego Romanus vates—ignoscite, Musae—
    Sarmatico cogor plurima more loqui.
en pudet, et fateor : iam desuetudine longa
    vix subeunt ipsi verba Latina mihi.
nec dubito quin sint et in hoc non pauca libello
    barbara : non hominis culpa sed ista loci.
ne tamen Ausoniae perdam commercia linguae,
    et fiat patrio vox mea muta sono,
ipse loquor mecum, desuetaque verba retracto,
    et studii repeto signa sinistra mei.
sic animum tempusque traho, meque ipse reduco
    a contemplatu summoveoque mali.
carminibus quaero miserarum oblivia rerum,
    praemia si studio consequar ista, sat est.

237. *Agricola's campaign in Caledonia: A.D. 83.*

  Quod ubi cognitum hosti, mutato repente consilio
universi nonam legionem ut maxime invalidam nocte
adgressi, inter somnum ac trepidationem caesis vigilibus

inrupere. Iamque in ipsis castris pugnabatur, cum Agricola iter hostium ab exploratoribus edoctus et vestigiis insecutus, velocissimos equitum peditumque adsultare tergis pugnantium iubet, mox ab universis adici clamorem; et propinqua luce fulsere signa. Ita ancipiti malo territi Britanni; et Romanis rediit animus, ac securi pro salute de gloria certabant. Ultro quin etiam erupere, et fuit atrox in ipsis portarum angustiis proelium, donec pulsi hostes, utroque exercitu certante, his, ut tulisse opem, illis, ne eguisse auxilio viderentur. Quod nisi paludes et silvae fugientis texissent, debellatum illa victoria foret.

238. *The shade of Hector appears to Aeneas.*

Tempus erat, quo prima quies mortalibus aegris
incipit, et dono divum gratissima serpit.
in somnis, ecce, ante oculos maestissimus Hector
visus adesse mihi, largosque effundere fletus,
raptatus bigis, ut quondam, aterque cruento
pulvere, perque pedes traiectus lora tumentes.
hei mihi, qualis erat! quantum mutatus ab illo
Hectore, qui redit exuvias indutus Achilli,
vel Danaum Phrygios iaculatus puppibus ignes!
squalentem barbam et concretos sanguine crines,
vulneraque illa gerens, quae circum plurima muros
accepit patrios. ultro flens ipse videbar
compellare virum et maestas expromere voces:
'o lux Dardaniae, spes o fidissima Teucrum,
quae tantae tenuere morae? quibus Hector ab oris
expectate venis? ut te post multa tuorum
funera, post varios hominumque urbisque labores
defessi aspicimus! quae causa indigna serenos
foedavit vultus? aut cur haec vulnera cerno?'

lorum : thong.

239. *After the decree of banishment, Cicero writes home.*

Tullius S. D. Terentiae et Tulliae et Ciceroni suis.

Ego minus saepe do ad vos litteras quam possum, propterea quod cum omnia mihi tempora sunt misera, tum vero cum aut scribo ad vos aut vestras lego conficior lacrimis sic ut ferre non possim. Quod utinam minus vitae cupidi fuissemus! certe nihil aut non multum in vita mali vidissemus. Quod si nos ad aliquam alicuius commodi aliquando recuperandi spem fortuna reservavit, minus est erratum a nobis : si haec mala fixa sunt, ego vero te quam primum, mea vita, cupio videre et in tuo complexu emori, quoniam neque di, quos tu castissime coluisti, neque homines, quibus ego semper servivi, nobis gratiam rettulerunt.

Nos Brundisii apud M. Laenium Flaccum dies XIII fuimus, virum optimum, qui periculum fortunarum et capitis sui prae mea salute neglexit, neque legis improbissimae poena deductus est quominus hospitii et amicitiae ius officiumque praestaret : huic utinam aliquando gratiam referre possimus! habebimus quidem semper.

240. *Aeneas searching for his lost wife is told by her shade to abandon an idle quest.*

Quaerenti et tectis urbis sine fine ruenti
infelix simulacrum atque ipsius umbra Creusae
visa mihi ante oculos, et nota maior imago.
obstipui, steteruntque comae, et vox faucibus haesit.
tum sic adfari, et curas his demere dictis:
'quid tantum insano iuvat indulgere dolori,
o dulcis coniunx? non haec sine numine divum
eveniunt: nec te hinc comitem asportare Creusam
fas, aut ille sinit superi regnator Olympi.
longa tibi exsilia, et vastum maris aequor arandum:

et terram Hesperiam venies, ubi Lydius arva
inter opima virum leni fluit agmine Thybris.
sed me magna deum genetrix his detinet oris.
iamque vale, et nati serva communis amorem.'
haec ubi dicta dedit, lacrimantem et multa volentem
dicere deseruit, tenuesque recessit in auras.

241. *Pliny finds a great man's memory neglected.*

Cum venissem in socrus meae villam Alsiensem, quae
aliquando Rufi Vergini fuit, ipse mihi locus optimi illius
et maximi viri desiderium non sine dolore renovavit.
Hunc enim incolere secessum atque etiam senectutis suae
nidulum vocare consueverat. Quocumque me contulis-
sem, illum animus, illum oculi requirebant. Libuit etiam
monimentum eius videre, et vidisse paenituit. Est enim
adhuc imperfectum, nec difficultas operis in causa, modici
ac potius exigui, sed inertia eius cui cura mandata est.
Subit indignatio cum miseratione post decimum mortis
annum reliquias neglectumque cinerem sine titulo, sine
nomine iacere, cuius memoria orbem terrarum gloria
pervagetur. At ille mandaverat caveratque ut divinum
illud et immortale factum versibus inscriberetur:
' Hic situs est Rufus, pulso qui Vindice quondam
    imperium adseruit non sibi, sed patriae.'
Tam rara in amicitiis fides, tam parata oblivio mor-
tuorum, ut ipsi nobis debeamus etiam conditoria extruere
omniaque heredum officia praesumere. Nam cui non est
verendum quod videmus accidisse Verginio? cuius iniuriam ut indigniorem sic etiam notiorem ipsius claritas facit.

conditorium : tomb.

242. *Midas regrets the granting of his prayer.*

Vix spes ipse suas animo capit, aurea fingens
omnia. gaudenti mensas posuere ministri
exstructas dapibus, nec tostae frugis egentes.

tum vero, sive ille sua Cerealia dextra
munera contigerat, Cerealia dona rigebant :
sive dapes avido convellere dente parabat,
lammina fulva dapes, admoto dente, nitebant.
miscuerat puris auctorem muneris undis :
fusile per rictus aurum fluitare videres.
attonitus novitate mali divesque miserque
effugere optat opes, et quae modo voverat odit.
copia nulla famem relevat : sitis arida guttur
urit, et inviso meritus torquetur ab auro ;
ad caelumque manus et splendida bracchia tollens,
' da veniam, Lenaee pater, peccavimus', inquit :
' sed miserere, precor, speciosoque eripe damno.'

auctorem muneris: i. e. Bacchus; *rictus :* open mouth, jaws.

243. *The impatience of youth.*

Idem ardor et in Romano exercitu erat et in altero
duce, nec praesentis dimicationis fortunam ulla res
praeterquam unius viri consilium atque imperium mora-
batur, qui occasionem iuvandarum ratione virium trahendo bello quaerebat. Eo magis hostis instare nec iam
pro castris tantum suis explicare aciem, sed procedere in
medium campi et vallo prope hostium signa inferendo
superbam fiduciam virium ostentare. Id aegre patiebatur
Romanus miles, multo aegrius alter ex tribunis militum,
L. Furius, cum aetate et ingenio ferox tum multitudinis
ex incertissimo sumentis animos spe inflatus. Hic per
se iam milites incitatos insuper instigabat elevando, qua
una poterat, aetate auctoritatem collegae, iuvenibus bella
data dictitans et cum corporibus vigere et deflorescere
animos; cunctatorem ex acerrimo bellatore factum et, qui
adveniens castra urbesque primo impetu capere sit solitus,
eum residem intra vallum tempus terere. Frigere ac
torpere senis consilia.

elevo : make light of, disparage.

244. *The remorse of a stern parent.*

Ubi comperi ex eis qui fuere ei conscii,
domum revortor maestus atque animo fere
perturbato atque incerto prae aegritudine.
adsido : adcurrunt servi, soccos detrahunt ;
video alios festinare, lectos sternere,
cenam adparare : pro se quisque sedulo
faciebant quo illam mihi lenirent miseriam.
ubi video, haec coepi cogitare : ' hem, tot mea
soli solliciti sint causa ut me unum expleant ?
ancillae tot me vestiant ? sumptus domi
tantos ego solus faciam ? sed natum unicum,
quem pariter uti his decuit aut etiam amplius,
(quod illa aetas magis ad haec utenda idoneast),
eum ego hinc eieci miserum iniustitia mea !

245. *A discourse on oratory : Can wit be taught ?*

' Suavis autem est et vehementer saepe utilis iocus et
facetiae ; quae, etiam si alia omnia tradi arte possunt,
naturae sunt propria certe neque ullam artem desiderant :
in quibus tu longe aliis mea sententia, Caesar, excellis ;
quo magis mihi etiam aut testis esse potes nullam esse
artem salis aut, si qua est, eam tu potissimum nos docere.'

' Ego vero ', inquit ' omni de re facilius puto esse ab
homine non inurbano, quam de ipsis faceiis disputari.
Itaque cum quosdam Graecos inscriptos libros esse vi-
dissem " de ridiculis ", non nullam in spem veneram posse
me ex eis aliquid discere ; inveni autem ridicula et salsa
multa Graecorum ; nam et Siculi in eo genere et Rhodii
et Byzantii et praeter ceteros Attici excellunt ; sed qui
eius rei rationem quandam conati sunt artemque tradere,
sic insulsi exstiterunt, ut nihil aliud eorum nisi ipsa
insulsitas rideatur ; qua re mihi quidem nullo modo
videtur doctrina ista res posse tradi.'

insulsus : dull, stupid.

246. *A Dilemma: and a consolation.*

Tu mihi, tu certe (memini) Graecine, negabas
    uno posse aliquem tempore amare duas.
per te ego decipior, per te deprensus inermis:
    ecce, duas uno tempore turpis amo.
utraque formosa est; operosae cultibus ambae;
    artibus in dubio est haec sit an illa prior.
pulchrior hac illa est, haec est quoque pulchrior illa:
    et magis haec nobis et magis illa placet!
errant, ut ventis discordibus acta phaselus,
    dividuumque tenent alter et alter amor.
quid geminas, Erycina, meos sine fine dolores?
    nonne erat in curas una puella satis?
quid folia arboribus, quid pleno sidera caelo,
    in freta collectas alta quid addis aquas?
sed tamen hoc melius quam si sine amore iacerem:
    hostibus eveniat vita severa meis!

Erycina: Venus of Eryx.

247. *Scipio incites his men to avenge a treacherous murder.*

Illiturgitani prodendis qui ex illa clade ad eos perfuge-
rant interficiendisque scelus etiam defectioni addiderant.
Clausae erant portae, omniaque instructa et parata ad
oppugnationem arcendam: adeo conscientia, quid se
meritos scirent, pro indicto eis bello fuerat. Hinc et
hortari milites Scipio orsus est. Ipsos claudendo portas
indicasse Hispanos quid ut timerent meriti essent; itaque
multo infestioribus animis cum iis quam cum Carthaginiensibus bellum gerendum esse: quippe cum illis prope
sine ira de imperio et gloria certari, ab his perfidiae et
crudelitatis et sceleris poenas expetendas esse. Venisse
tempus quo et nefandam commilitonum necem et in
semet ipsos, si eodem fuga delati forent, instructam
fraudem ulciscerentur, et in omne tempus gravi docu-

mento sancirent ne quis unquam Romanum civem mili-
temve in ulla fortuna opportunum iniuriae duceret. Ab
hac cohortatione ducis incitati scalas electis per manipulos viris dividunt, partitoque exercitu, ita ut parti alteri
Laelius praeesset legatus, duobus simul locis ancipiti
terrore urbem aggrediuntur.

248. *Medea promises to renew the youth of Aeson without shortening the life of his son Jason.*

            Mota est pietate rogantis,
nec tamen affectus tales confessa 'quod' inquit
'excidit ore pio, coniunx, scelus? ergo ego cuiquam
posse tuae videor spatium transcribere vitae?
nec sinat hoc Hecate, nec tu petis aequa. sed isto,
quod petis, experiar maius dare munus, Iason.
arte mea soceri longum temptabimus aevum,
non annis revocare tuis. modo diva triformis
adiuvet, et praesens ingentibus annuat ausis.'
tres aberant noctes, ut cornua tota coirent
efficerentque orbem. postquam plenissima fulsit,
ac solida terras spectavit imagine luna,
egreditur tectis vestes induta recinctas,
nuda pedem, nudos humeris infusa capillos,
fertque vagos mediae per muta silentia noctis
incomitata gradus. homines volucresque ferasque
solverat alta quies. nullo cum murmure saepes:
inmotaeque silent frondes. silet humidus aer:
sidera sola micant.

     affectus, noun: feelings; *transcribo*: transfer; *saepes*: hedge.

249. *The force of example.*

Iam omnibus locis ceditur nequiquam Sempronio
consule obiurgante atque hortante. Nihil nec imperium
nec maiestas valebat; dataque mox terga hostibus forent, ni Sex. Tempanius, decurio equitum, labante iam

re praesenti animo subvenisset. Qui cum magna voce
exclamasset, ut equites, qui salvam rempublicam vellent
esse, ex equis desilirent, omnium turmarum equitibus
velut ad consulis imperium motis, 'nisi haec' inquit
'parmata cohors sistit impetum hostium, actum de
imperio est. Sequimini pro vexillo cuspidem meam;
ostendite Romanis Volscisque neque equitibus vobis
ullos equites nec peditibus esse pedites pares.' Cum
clamore conprobata adhortatio esset, vadit alte cuspidem
gerens. Quacumque incedunt, vi viam faciunt, eo se
inferunt obiectis parmis, ubi suorum plurimum laborem
vident. Restituitur omnibus locis pugna, in quae eos
impetus tulit; nec dubium erat quin, si tam pauci simul
obire omnia possent, terga daturi hostes fuerint.

vexillum: standard.

250. *Circe tries to induce Ulysses to stay longer.*

Diceris his etiam, cum iam discedere vellet,
  Dulichium verbis detinuisse ducem:
'non ego, quod primo (memini) sperare solebam,
  iam precor, ut coniunx tu meus esse velis:
et tamen ut coniunx essem tua digna videbar,
  quod dea, quod magni filia Solis eram:
ne properes oro; spatium pro munere posco:
  quid minus optari per mea vota potest?
et freta mota vides et debes illa timere:
  utilior velis postmodo ventus erit.
quae tibi causa fugae? non hic nova Troia resurgit;
  non alius socios Rhesus ad arma vocat:
hic amor, hic pax est; in qua male vulneror una,
  totaque sub regno terra futura tuo est.'
illa loquebatur, navem solvebat Ulixes:
  irrita cum velis verba tulere Noti.

  Dulichium ducem: Ulysses, whose domain included
        the island of Dulichium.

251. *A detective story.*

Hoc ipso fere tempore Strato ille medicus domi furtum fecit et caedem eiusmodi. Cum esset in aedibus arma-rium in quo sciret esse nummorum aliquantum et auri, noctu duos conservos dormientis occidit in piscinamque deiecit; ipse armari fundum exsecuit et HS x et auri quinque pondo abstulit uno ex servis puero non grandi conscio. Furto postridie cognito omnis suspicio in eos servos qui non comparebant commovebatur. Cum exsectio illa fundi in armario animadverteretur, homines quonam modo fieri potuisset requirebant. Quidam ex amicis Sassiae recordatus est se nuper in auctione quadam vidisse in rebus minutis aduncam ex omni parte dentatam et tortuosam venire serrulam, qua illud potuisse ita circumsecari videretur. Ne multa, perquiritur a coactori-bus, invenitur ea serrula ad Stratonem pervenisse. Hoc initio suspicionis orto et aperte insimulato Stratone, puer ille conscius pertimuit, rem omnem dominae indicavit; homines in piscina inventi sunt, Strato in vincula coniectus est, atque etiam in taberna eius nummi, nequaquam omnes, reperiuntur.

coactor : collector of taxes (including 5% tax on auction sales).

252. *The organized life of bees.*

Solae communis natos, consortia tecta
urbis habent, magnisque agitant sub legibus aevum,
et patriam solae et certos novere penatis;
venturaeque hiemis memores aestate laborem
experiuntur et in medium quaesita reponunt.
namque aliae victu invigilant et foedere pacto
exercentur agris; pars intra saepta domorum
narcissi lacrimam et lentum de cortice gluten
prima favis ponunt fundamina, deinde tenacis
suspendunt ceras; aliae spem gentis adultos

educunt fetus; aliae purissima mella
stipant et liquido distendunt nectare cellas.
sunt quibus ad portas cecidit custodia sorti,
inque vicem speculantur aquas et nubila caeli,
aut onera accipiunt venientum, aut agmine facto
ignavum fucos pecus a praesepibus arcent.

> *gluten :* glue ; *fucus :* drone; *stipo :* pack.

253. ' *She should have died hereafter* ' : *Servius offers consolation to Cicero after Tullia's death.*

Quae res mihi non mediocrem consolationem attulit,
volo tibi commemorare, si forte eadem res tibi dolorem
minuere possit. Ex Asia rediens cum ab Aegina
Megaram versus navigarem, coepi regiones circumcirca
prospicere : post me erat Aegina, ante me Megara,
dextra Piraeus, sinistra Corinthus, quae oppida quodam
tempore florentissima fuerunt, nunc prostrata et diruta
ante oculos iacent. Coepi egomet mecum sic cogitare :
' Hem ! nos homunculi indignamur, si quis nostrum
interiit aut occisus est, quorum vita brevior esse debet,
cum uno loco tot oppidum cadavera proiecta iacent ?
Visne tu te, Servi, cohibere et meminisse hominem te esse
natum ? ' Crede mihi, cogitatione ea non mediocriter sum
confirmatus. Hoc idem, si tibi videtur, fac ante oculos
tibi proponas : modo uno tempore tot viri clarissimi
interierunt, de imperio populi Romani tanta deminutio
facta est, omnes provinciae conquassatae sunt ; in unius
mulierculae animula si iactura facta est, tanto opere
commoveris ? Quae si hoc tempore non diem suum
obisset, paucis post annis tamen ei moriendum fuit,
quoniam homo nata fuerat.

> *iactura :* loss.

254. *The golden age of Saturn.*

Quam bene Saturno vivebant rege, priusquam
tellus in longas est patefacta vias !

nondum caeruleas pinus contempserat undas,
    effusum ventis praebueratque sinum,
nec vagus ignotis repetens compendia terris
    presserat externa navita merce ratem.
illo non validus subiit iuga tempore taurus,
    non domito frenos ore momordit equus ;
non domus ulla fores habuit, non fixus in agris,
    qui regeret certis finibus arva, lapis.
non acies, non ira fuit, non bella, nec ensem
    inmiti saevus duxerat arte faber.
nunc Iove sub domino caedes et vulnera semper
    nunc mare, nunc leti multa reperta via est.

    compendium : gain ; *faber :* metal-worker.

255. *The vanity of a literary man.*

Frequenter agenti mihi evenit ut centumviri, cum diu
se intra iudicum auctoritatem gravitatemque tenuissent,
omnes repente quasi victi coactique consurgerent lauda-
rentque : frequenter e senatu famam qualem maxime
optaveram rettuli : nunquam tamen maiorem cepi
voluptatem quam nuper ex sermone Corneli Taciti.
Narrabat sedisse secum circensibus proximis equitem
Romanum.   Hunc post varios eruditosque sermones
requisisse· ' Italicus es an provincialis ? ' Se respondisse :
' Nosti me et quidem ex studiis.' Ad hoc illum : ' Tacitus
es an Plinius ? ' exprimere non possum quam sit iucundum
mihi, quod nomina nostra quasi litterarum propria, non
hominum, litteris redduntur, quod uterque nostrum his
etiam ex studiis notus, quibus aliter ignotus est.

    Accidit aliud ante pauculos dies simile.   Recumbebat
mecum vir egregius, Fadius Rufinus ; super eum municeps ipsius, qui illo die primum venerat in urbem ; cui
Rufinus demonstrans me : ' Vides hunc ? ' Multa deinde
de studiis nostris.   Et ille : ' Plinius est ' inquit. Verum
fatebor, capio magnum laboris mei fructum.

256. *Ceyx, son of Lucifer, goes to consult the oracle at Claros.*

Talibus Aeolidis dictis lacrimisque movetur
sidereus coniunx ; neque enim minor ignis in ipso est.
sed neque propositos pelagi dimittere cursus,
nec vult Alcyonen in partem adhibere pericli ;
multaque respondet timidum solantia pectus.
non tamen idcirco causam probat. addidit illis
hoc quoque lenimen, quo solo flexit amantem :
' longa quidem est nobis omnis mora : sed tibi iuro
per patrios ignes, si me modo fata remittent,
ante reversurum, quam luna bis impleat orbem.'
his ubi promissis spes est admota recursus,
protinus eductam navalibus aequore tingui
aptarique suis pinum iubet armamentis.
qua rursus visa, veluti praesaga futuri,
horruit Alcyone lacrimasque emisit obortas,
amplexusque dedit, tristique miserrima tandem
ore ' vale ' dixit, collapsaque corpore toto est.

idcirco : on that account.

257. *After the defeat of Catiline's army.*

Sed confecto proelio, tum vero cerneres quanta
audacia quantaque vis animi fuisset in exercitu Catilinae.
Nam fere quem quisque vivus pugnando locum ceperat,
eum amissa anima corpore tegebat.   Pauci autem, quos
medios cohors praetoria disiecerat, paullo diversius, sed
omnes tamen adversis vulneribus conciderant.   Catilina
vero longe a suis inter hostium cadavera repertus est,
paullulum etiam spirans ferociamque animi, quam habu-
erat vivus, in vultu retinens.   Postremo ex omni copia
neque in proelio neque in fuga quisquam civis ingenuus
captus est; ita cuncti suae hostiumque vitae iuxta
pepercerant.   Neque tamen exercitus populi Romani

laetam aut incruentam victoriam adeptus erat; nam
strenuissimus quisque aut occiderat in proelio aut graviter
vulneratus discesserat. Multi autem qui de castris
visendi aut spoliandi gratia processerant, volventes hostilia
cadavera, amicum alii, pars hospitem aut cognatum,
reperiebant: fuere item qui inimicos suos cognoscerent.
Ita varie per omnem exercitum laetitia, maeror, luctus
atque gaudia agitabantur.

258. *Caesar defies superstition.*

Hanc iubet immisso silvam procumbere ferro:
nam vicina operi belloque intacta priore
inter nudatos stabat densissima montes.
sed fortes tremuere manus, motique verenda
maiestate loci, si robora sacra ferirent,
in sua credebant redituras membra secures.
implicitas magno Caesar torpore cohortes
ut vidit, primus raptam vibrare bipennem
ausus et aeriam ferro proscindere quercum
effatur merso violata in robora ferro:
'iam ne quis vestrum dubitet subvertere silvam
credite me fecisse nefas.' tum paruit omnis
imperiis non sublato secura pavore
turba, sed expensa superorum et Caesaris ira.

259. *On choosing and following a model.*

Ergo hoc sit primum in praeceptis meis, ut demon-
stremus quem imitetur: tum accedat exercitatio qua illum,
quem delegerit, imitando effingat atque exprimat; non ut
multos imitatores saepe cognovi, qui aut ea quae facilia
sunt aut etiam illa quae insignia ac paene vitiosa conse-
ctantur imitando. Nihil est facilius quam amictum imitari
alicuius aut statum aut motum; si vero etiam vitiosi
aliquid est, id sumere et in eo vitio similem esse non
magnum est: ut ille qui nunc etiam amissa voce furit in
re publica, Fufius, nervos in dicendo C. Fimbriae (quos

tamen habuit ille) non adsequitur, oris pravitatem et
verborum latitudinem imitatur : sed tamen ille nec
deligere scivit cuius potissimum similis esset, et in eo
ipso quem delegerat imitari etiam vitia voluit ; qui autem
ita faciet ut oportet, primum vigilet necesse est in
deligendo ; deinde quem probarit in eo quae maxime
excellent ea diligentissime persequatur. Quid enim causae
censetis esse cur aetates extulerint singulae singula prope
genera dicendi ? quod non tam facile in nostris oratoribus
possumus iudicare, qui scripta ex quibus iudicium fieri
posset non multa sane reliquerunt, quam in Graecis, ex
quorum scriptis cuiusque aetatis quae dicendi ratio volun-
tasque fuerit intellegi potest.

260. *An urgent appeal.*

Vix ea fatus erat : medios volat, ecce, per hostes
vectus equo spumante Saces, adversa sagitta
saucius ora, ruitque inplorans nomine Turnum :
' Turne, in te suprema salus ; miserere tuorum.
fulminat Aeneas armis, summasque minatur
deiecturum arces Italum excidioque daturum ;
iamque faces ad tecta volant. in te ora Latini,
in te oculos referunt ; mussat rex ipse Latinus,
quos generos vocet, aut quae sese ad foedera flectat.
praeterea regina, tui fidissima, dextra
occidit ipsa sua, lucemque exterrita fugit.
soli pro portis Messapus et acer Atinas
sustentant aciem. circum hos utrimque phalanges
stant densae, strictisque seges mucronibus horret
ferrea : tu currum deserto in gramine versas.'

     musso : (murmur), ponder in silence.

261. *How Adherbal's good intentions were frustrated.*

' Patres conscripti, Micipsa pater meus moriens mihi
praecepit, uti regni Numidiae tantummodo procurationem

existimarem meam, ceterum ius et imperium eius penes
vos esse ; simul eniterer domi militiaeque quam maxume
usui esse populo Romano ; vos mihi cognatorum, vos in
affinium locum ducerem : si ea fecissem, in vestra amicitia exercitus divitias munimenta regni me habiturum.
Quae cum praecepta parentis mei agitarem, Iugurtha,
homo omnium quos terra sustinet sceleratissumus, con-
tempto imperio vestro Masinissae me nepotem et iam ab
stirpe socium atque amicum populi Romani regno
fortunisque omnibus expulit.   Atque ego, p. c., quoniam
eo miseriarum venturus eram, vellem potius ob mea
quam ob maiorum meorum beneficia possem a vobis
auxilium petere, ac maxume deberi mihi beneficia a
populo Romano quibus non egerem, secundum, ea si
desideranda erant, uti debitis uterer.   Sed quoniam
parum tuta per se ipsa probitas est, neque mihi in manu
fuit Iugurtha qualis foret, ad vos confugi, p. c., quibus,
quod mihi miserrumum est, cogor oneri prius quam usui
esse.'

262. *Blind Tiresias foretells the fate of the unbelieving Pentheus.*

Cognita res meritam vati per Achaidas urbes
attulerat famam, nomenque erat auguris ingens.
spernit Echionides tamen hunc ex omnibus unus
contemptor superum Pentheus, praesagaque ridet
verba senis, tenebrasque et cladem lucis ademptae
obicit. ille movens albentia tempora canis
'quam felix esses, si tu quoque luminis huius
orbus' ait 'fieres, ne Bacchica sacra videres !
namque dies aderit, quam non procul auguror esse,
qua novus huc veniat, proles Semeleia, Liber :
quem nisi templorum fueris dignatus honore,
mille lacer spargere locis et sanguine silvas
foedabis, matremque tuam matrisque sorores.

eveniet : neque enim dignabere numen honore,
meque sub his tenebris nimium vidisse quereris.'
talia dicentem proturbat Echione natus :
dicta fides sequitur, responsaque vatis aguntur.

obicio : taunt.

263. *P. Sulla, formerly convicted of corrupt practices, is now charged with a share in Catiline's conspiracy.*

Nihil video esse in hoc P. Sulla, iudices, odio dignum,
misericordia digna multa. Neque enim nunc propul-
sandae calamitatis suae causa supplex ad vos, iudices,
confugit, sed ne qua generi ac nomini suo nota nefariae
turpitudinis inuratur. Nam ipse quidem, si erit vestro
iudicio liberatus, quae habet ornamenta, quae solacia
reliquae vitae quibus laetari ac perfrui possit ? Domus
erit, credo, exornata, aperientur maiorum imagines, ipse
ornatum ac vestitum pristinum recuperabit. Omnia, iudices, haec amissa sunt, omnia generis, nominis, honoris
insignia atque ornamenta unius iudici calamitate occiderunt. Sed ne exstinctor patriae, ne proditor, ne hostis
appelletur, ne hanc labem tanti sceleris in familia relinquat, id laborat, id metuit, ne denique hic miser coniurati
et conscelerati et proditoris filius nominetur ; huic puero
qui est ei vita sua multo carior metuit, cui honoris integros
fructus non sit traditurus, ne aeternam memoriam dede-
coris relinquat. Hic vos orat, iudices, parvus, ut se aliquando si non integra fortuna, at ut adflicta patri suo
gratulari sinatis. Huic misero notiora sunt itinera iudi-
ciorum et fori quam campi et disciplinarum. Non iam
de vita P. Sullae, iudices, sed de sepultura contenditur ;
vita erepta est superiore iudicio, nunc ne corpus eiciatur
laboramus.

264. *The living desirous to enter Hades must propitiate the Queen of the Underworld, says the Sibyl.*

           'Sate sanguine divum,
Tros Anchisiade, facilis descensus Averno;
noctes atque dies patet atri ianua Ditis;
sed revocare gradum superasque evadere ad auras,
hoc opus, hic labor est. pauci, quos aequus amavit
Iuppiter, aut ardens evexit ad aethera virtus,
dis geniti potuere. tenent media omnia silvae,
Cocytusque sinu labens circumvenit atro.
quod si tantus amor menti, si tanta cupido est
bis Stygios innare lacus, bis nigra videre
Tartara, et insano iuvat indulgere labori;
accipe, quae peragenda prius. latet arbore opaca
aureus et foliis et lento vimine ramus,
Iunoni infernae dictus sacer : hunc tegit omnis
lucus, et obscuris claudunt convallibus umbrae.
sed non ante datur telluris operta subire,
auricomos quam qui decerpserit arbore fetus.
hoc sibi pulchra suum ferri Proserpina munus
instituit; primo avulso non deficit alter
aureus, et simili frondescit virga metallo.'

265. *Young Publius Scipio, the Roman commander in Spain, proceeds to attack New Carthage.*

Hac oratione accensis militum animis, relicto ad praesidium regionis eius M. Silano cum tribus milibus peditum et trecentis equitibus, ceteras omnes copias—erant autem viginti quinque milia peditum, duo milia quingenti equites—Hiberum traiecit. Ibi quibusdam suadentibus, ut, quoniam in tres tam diversas regiones discessissent Punici exercitus, proximum adgrederetur, periculum esse ratus, ne eo facto in unum omnes contraheret, nec par esset unus tot exercitibus, Carthaginem

Novam interim oppugnare statuit, urbem cum ipsam
opulentam suis opibus, tum hostium omni bellico apparatu
plenam—ibi arma, ibi pecunia, ibi totius Hispaniae
obsides erant—, sitam praeterea cum opportune ad tra-
iciendum in Africam, tum super portum satis amplum
quantaevis classi et nescio an unum in Hispaniae ora,
qua nostro adiacet mari. Nemo omnium quo iretur
sciebat praeter C. Laelium. Is classe circummissus ita
moderari cursum navium iussus erat, ut eodem tempore
Scipio ab terra exercitum ostenderet et classis portum
intraret.

266. *After the Golden Age came a life of toil.*

> Pater ipse colendi
> haud facilem esse viam voluit, primusque per artem
> movit agros, curis acuens mortalia corda,
> nec torpere gravi passus sua regna veterno.
> ante Iovem nulli subigebant arva coloni ;
> ne signare quidem aut partiri limite campum
> fas erat : in medium quaerebant, ipsaque tellus
> omnia liberius nullo poscente ferebat.
> ille malum virus serpentibus addidit atris,
> praedarique lupos iussit pontumque moveri.
> mellaque decussit foliis ignemque removit,
> et passim rivis currentia vina repressit,
> ut varias usus meditando extunderet artis
> paulatim, et sulcis frumenti quaereret herbam,
> ut silicis venis abstrusum excuderet ignem.

veternus : sloth ; *silex :* flint.

267. *Alexander the Great is entreated to take care of himself.*

Quarto, postquam navigare coeperat, die pervenit in
regionem desertam quidem ab incolis, sed frumento et
pecoribus abundantem. Placuit is locus et ad suam et
ad militum requiem. Mos erat principibus amicorum et

custodibus corporis excubare ante praetorium, quotiens
adversa regi valetudo incidisset. Hoc tum quoque more
servato universi cubiculum eius intrant. Ille sollicitus ne
quid novi adferrent, quia simul venerant, percunctatur
num hostium recens nuntiaretur adventus. At Craterus,
cui mandatum erat ut amicorum preces perferret ad eum,
' Credisne,' inquit, ' adventu magis hostium (ut iam in
vallo consisterent) nos sollicitos esse, quam cura salutis
tuae, ut nunc est, tibi vilis? Quantalibet vis omnium
gentium conspiret in nos, impleat armis virisque totum
orbem, classibus maria consternat, inusitatas beluas in-
ducat; tu nos praestabis invictos. Sed quis deorum hoc
Macedoniae columen ac sidus diuturnum fore polliceri
potest, cum tam avide manifestis periculis offeras corpus,
oblitus tot civium animas trahere te in casum? Quis
enim tibi superstes aut optat esse aut potest? Eo per-
venimus auspicium atque imperium secuti tuum, unde nisi
te reduce nulli ad penates suos iter est.'

    excubare : keep watch; *praetorium :* the royal tent.

268. *How Horace was introduced to Maecenas.*

              Felicem dicere non hoc
me possim, casu quod te sortitus amicum;
nulla etenim mihi te fors obtulit: optimus olim
Vergilius, post hunc Varius dixere quid essem.
ut veni coram, singultim pauca locutus,
infans namque pudor prohibebat plura profari,
non ego me claro natum patre, non ego circum
me Satureiano vectari rura caballo,
sed quod eram narro. respondes, ut tuus est mos,
pauca: abeo; et revocas nono post mense, iubesque
esse in amicorum numero. magnum hoc ego duco,
quod placui tibi, qui turpi secernis honestum,
non patre praeclaro sed vita et pectore puro.

singultim: adv. from *singultus,* sob, gulp; *Satureianus:* of Tarentum.

269. *The Caudine Forks (321 B.C.) : A Samnite statesman gives advice.*

Ne Samnitibus quidem consilium in tam laetis suppe-
tebat rebus. Itaque universi Herennium Pontium, patrem
imperatoris, per litteras consulendum censent. Iam is
gravis annis non militaribus solum sed civilibus quoque
abscesserat muneribus : in corpore tamen adfecto vigebat
vis animi consiliique. Is ubi accepit ad furculas Caudinas
inter duos saltus clausos esse exercitus Romanos, con-
sultus ab nuntio filii censuit omnes inde quam primum
inviolatos dimittendos. Quae ubi spreta sententia est
iterumque eodem remeante nuntio consulebatur, censuit
ad unum omnes interficiendos. Quae ubi tam discordia
inter se velut ex ancipiti oraculo responsa data sunt,
quamquam filius ipse in primis iam animum quoque
patris consenuisse in adfecto corpore rebatur, tamen consensu omnium victus est ut ipsum in consilium acciret.
Nec gravatus senex plaustro in castra dicitur advectus
vocatusque in consilium ita ferme locutus esse ut nihil
sententiae suae mutaret, causas tantum adiceret : priore se
consilio, quod optimum duceret, cum potentissimo populo
per ingens beneficium perpetuam firmare pacem amici-
tiamque : altero consilio in multas aetates, quibus, amissis
duobus exercitibus, haud facile receptura vires Romana
res esset, bellum differre ; tertium nullum consilium
esse.

270. *Niobe's daughters are killed, and Niobe herself transformed to a marble fountain.*

Haec frustra fugiens collabitur, illa sorori
immoritur : latet haec, illam trepidare videres.
sexque datis leto diversaque vulnera passis
ultima restabat, quam toto corpore mater,
tota veste tegens ' unam minimamque relinque !

de multis minimam posco' clamavit 'et unam.'
dumque rogat, pro qua rogat occidit : orba resedit
exanimes inter natos natasque virumque,
deriguitque malis ; nullos movet aura capillos,
in vultu color est sine sanguine, lumina maestis
stant immota genis, nihil est in imagine vivum.
ipsa quoque interius cum duro lingua palato
congelat, et venae desistunt posse moveri ;
nec flecti cervix nec bracchia reddere motus
nec pes ire potest ; intra quoque viscera saxum est.
flet tamen, et validi circumdata turbine venti
in patriam rapta est : ibi fixa cacumine montis
liquitur, et lacrimas etiam nunc marmora manant.

271. *Cicero Attico Sal.*

L. Iulio Caesare C. Marcio Figulo consulibus, filiolo
me auctum scito salva Terentia. Abs te tam diu nihil
litterarum ? Ego de meis ad te rationibus scripsi antea
diligenter. Hoc tempore Catilinam, competitorem nostrum, defendere cogitamus ; iudices habemus quos volumus summa accusatoris voluntate. Spero, si absolutus
erit, coniunctiorem illum nobis fore in ratione petitionis :
sin aliter acciderit, humaniter feremus. Tuo adventu
nobis opus est maturo : nam prorsus summa hominum
est opinio tuos familiares, nobiles homines, adversarios
honori nostro fore. Ad eorum voluntatem mihi conci-
liandam maximo te mihi usui fore video. Quare Ianuario
mense, ut constituisti, cura ut Romae sis.

272. *Perseu: petrifies his enemies with Medusa's head : his rival, Phineus, makes submission.*

Nomina longa mora est media de plebe virorum
dicere : bis centum restabant corpora pugnae,
Gorgone bis centum riguerunt corpora visa.
paenitet iniusti tum denique Phinea belli :

sed quid agat? simulacra videt diversa figuris
agnoscitque suos et nomine quemque vocatum
poscit opem, credensque parum sibi proxima tangit
corpora: marmor erant. avertitur atque ita supplex
confessasque manus obliquaque bracchia tendens,
'vincis' ait, 'Perseu: remove tua monstra, tuaeque
saxificos vultus, quaecumque ea, tolle Medusae,
tolle, precor. non nos odium regnique cupido
compulit ad bellum, pro coniuge movimus arma.
causa fuit meritis melior tua, tempore nostra:
non cessisse piget: nihil, o fortissime, praeter
hanc animam concede mihi, tua cetera sunto!'

273. *A remarkable River.*

Ex ipsis radicibus montium Ziobetis amnis effunditur,
qui tria fere stadia in longitudinem universus fluit, deinde
saxo quod alveolum interpellat repercussus, duo itinera
velut dispensatis aquis aperit. Inde torrens et saxorum
per quae incurrit asperitate violentior terram praeceps
subit. Per ccc stadia conditus labitur rursusque velut ex
alio fonte conceptus editur et novum alveum intendit,
priore sui parte spatiosior, quippe in latitudinem x et
trium stadiorum diffunditur, rursusque angustioribus
coercitus ripis iter cogit. Tandem in alterum amnem
cadit: Ridagno nomen est. Incolae adfirmabant, quicumque demissi essent in cavernam, quae propior est
fonti, rursus ubi aliud os amnis aperitur exsistere. Itaque
Alexander duos, qua subeunt aquae terram, praecipitari
iubet, quorum corpora, ubi rursus erumpit, expulsa videre
qui missi erant ut exciperent.

274. *Aeneas's escape from the Cyclops.*

Vix ea fatus erat, summo cum monte videmus
ipsum inter pecudes vasta se mole moventem

pastorem Polyphemum, et litora nota petentem,
monstrum horrendum, informe, ingens, cui lumen
    ademptum.
trunca manum pinus regit et vestigia firmat ;
lanigerae comitantur oves ; ea sola voluptas
solamenque mali.
postquam altos tetigit fluctus et ad aequora venit,
luminis effossi fluidum lavit inde cruorem,
dentibus infrendens gemitu, graditurque per aequor
iam medium, necdum fluctus latera ardua tinxit.
nos procul inde fugam trepidi celerare recepto
supplice sic merito, tacitique incidere funem ;
verrimus et proni certantibus aequora remis.
sensit et ad sonitum vocis vestigia torsit.
verum ubi nulla datur dextra adfectare potestas,
nec potis Ionios fluctus aequare sequendo,
clamorem immensum tollit, quo pontus et omnes
contremuere undae, penitusque exterrita tellus
Italiae, curvisque immugiit Aetna cavernis.

275. *The Romans in spite of their previous failure renew the struggle.*

Ubi inluxit egreditur castris Romanus vallum invasurus,
ni copia pugnae fieret. Et postquam multa iam dies erat
neque movebatur quicquam ab hoste, iubet signa inferri
consul ; motaque acie indignatio Aequos et Volscos
incessit, si victores exercitus vallum potius quam virtus et
arma tegerent. Igitur et ipsi efflagitatum ab ducibus
signum pugnae accepere. Iamque pars egressa portis
erat, deincepsque alii servabant ordinem in suum quisque
locum descendentes, cum consul Romanus, priusquam
totis viribus fulta constaret hostium acies, intulit signa ;
adortusque nec omnes dum eductos nec, qui erant,
satis explicatis ordinibus, prope fluctuantem turbam
trepidantium huc atque illuc circumspectantiumque se ac

suos, addito turbatis mentibus clamore atque impetu in-
vadit.   Rettulere primo pedem hostes; deinde, cum
animos collegissent et undique duces, victisne cessuri
essent, increparent, restituitur pugna.

276. *Pamphilus recalls how Glycerium was left to his care by the dying Chrysis.*

O Mysis, Mysis, etiam nunc mihi
scripta illa dicta sunt in animo Chrysidis
de Glycerio.   iam ferme moriens me vocat:
accessi; vos semotae; nos soli: incipit
' mi Pamphile, huius formam atque aetatem vides,
nec clam te est quam illi utraeque res inutiles
et ad pudicitiam et ad rem tutandam sient.
quod per ego te hanc nunc dextram oro et genium tuom
per tuam fidem perque huius solitudinem
te obtestor ne abs te hanc segreges neu deseras.
si te in germani fratris dilexi loco,
sive haec te solum semper fecit maximi,
seu tibi morigera fuit in rebus omnibus,
te isti virum do, amicum, tutorem, patrem;
bona nostra haec tibi permitto et tuae mando fide.'
hanc mihi in manum dat; mors continuo ipsam occupat.
accepi: acceptam servabo.

morigerus: obedient, compliant.

277. *Cicero tries to reconcile his friend Atticus with his brother Quintus.*

Magna mihi varietas voluntatis et dissimilitudo opinionis ac iudicii Quinti fratris mei demonstrata est ex litteris
tuis, in quibus ad me epistularum illius exempla misisti.
Qua ex re et molestia sum tanta adfectus, quantam mihi
meus amor summus erga utrumque vestrum adferre debuit,
et admiratione, quidnam accidisset, quod adferret Quinte
fratri meo aut offensionem tam gravem aut commuta-

tionem tantam voluntatis. Atque illud a me iam ante
intellegebatur, quod te quoque ipsum discedentem a nobis
suspicari videbam, subesse nescioquid opinionis incom-
modae sauciumque esse eius animum et insedisse quasdam
odiosas suspiciones : quibus ego mederi cum cuperem
antea saepe et vehementius etiam post sortitionem
provinciae, nec tantum intellegebam ei esse offensionis,
quantum litterae tuae declarant, nec tantum proficiebam
quantum volebam. Sed tamen hoc me ipse consolabar,
quod non dubitabam quin te ille aut Dyrrachii aut in
istis locis uspiam visurus esset ; quod cum accidisset,
confidebam ac mihi persuaseram fore ut omnia placaren-
tur inter vos conspectu ipso congressuque vestro : sed
accidit perincommode, quod eum nusquam vidisti.

278. *The bachelor uncle has enlightened views on education.*

Ego hanc clementem vitam urbanam atque otium
secutus sum et, quod fortunatum isti putant,
uxorem numquam habui. ille contra haec omnia :
ruri agere vitam ; semper parce ac duriter
se habere ; uxorem duxit ; nati filii
duo : inde ego hunc maiorem adoptavi mihi ;
eduxi a parvulo, habui, amavi pro meo ;
in eo me oblecto, solum id est carum mihi.
ille ut item contra me habeat facio sedulo :
do, praetermitto, non necesse habeo omnia
pro meo iure agere ; postremo, alii clanculum
patres quae faciunt, quae fert adulescentia,
ea ne me celet consuefeci filium.
nam qui mentiri aut fallere insuerit patrem aut
audebit, tanto magis audebit ceteros.
pudore et liberalitate liberos
retinere satius esse credo quam metu.
haec fratri mecum non conveniunt neque placent.

venit ad me saepe clamans 'quid agis, Micio?
quor perdis adulescentem nobis?'

clanculum: dimin. of clam.

279. *Hannibal's dispositions at Zama commended, in spite of his defeat.*

Hannibal cum paucis equitibus inter tumultum ela-
psus Hadrumetum perfugit, omnia et integro proelio et
inclinante acie, priusquam excederet pugna, expertus, et
confessione etiam Scipionis omniumque peritorum militiae
illam laudem adeptus, singulari arte aciem eo die in-
struxisse: elephantos in prima fronte, quorum fortuitus
impetus atque intolerabilis vis signa sequi et servare
ordines, in quo plurimum spei ponerent, Romanos prohiberent; deinde auxiliares ante Carthaginiensium aciem,
ne homines mixti ex conluvione omnium gentium, quos
non fides teneret sed merces, liberum receptum fugae
haberent, simul primum ardorem atque impetum hostium
excipientes fatigarent ac, si nihil aliud, vulneribus suis
ferrum hostile hebetarent: tum ubi omnis spes esset,
milites Carthaginienses Afrosque, ut, omnibus rebus aliis pares, eo quod integri cum fessis ac sauciis pugnarent,
superiores essent: Italicos intervallo quoque diremptos,
incertos socii an hostes essent, in postremam aciem sum-
motos. Hoc edito velut ultimo virtutis opere Hannibal
cum Hadrumetum refugisset, accitusque inde Carthaginem sexto ac tricesimo post anno, quam puer inde profectus erat, redisset, fassus in curia est non proelio modo
se sed bello victum, nec spem salutis alibi quam in pace
impetranda esse.

conluvio: dregs; *hebetare:* to blunt.

280. *The gifts of the Gods bring sorrow.*

Dedit altera Liber
femineae stirpi voto maiora fideque
munera: nam tactu natarum cuncta mearum

in segetem laticemque meri baccamque Minervae
transformabantur, divesque erat usus in illis.
hoc ubi cognovit Troiae populator Atrides,
ne non ex aliqua vestram sensisse procellam
nos quoque parte putes, armorum viribus usus
abstrahit invitas gremio genitoris, alantque
imperat Argolicam caelesti munere classem.
non hic Aeneas, non, qui defenderet Andron,
Hector erat, per quos decimum durastis in annum.
iamque parabantur captivis vincla lacertis :
illae tollentes etiamnum libera caelo
bracchia ' Bacche pater, fer opem ! ' dixere : tulitque
muneris auctor opem, si miro perdere more
ferre vocatur opem.   nec qua ratione figuram
perdiderint, potui scire, aut nunc dicere possum.
summa mali nota est : pennas sumpsere, tuaeque
coniugis in volucres, niveas abiere columbas.

281. *Pliny gives a list of his uncle's books.*

Pergratum est mihi quod tam diligenter libros avun-
culi mei lectitas ut habere omnes velis quaerasque qui
sint omnes.   Fungar indicis partibus atque etiam quo
sint ordine scripti notum tibi faciam : est enim haec
quoque studiosis non iniucunda cognitio.   ' De iacu-
latione equestri unus' : hunc, cum praefectus alae militaret, pari ingenio curaque composuit.   ' De vita Pomponi
Secundi duo' ; a quo singulariter amatus hoc memoriae
amici quasi debitum munus exsolvit.   ' Bellorum Germaniae viginti ' ; quibus omnia quae cum Germania
gessimus bella collegit.   Incohavit, cum in Germania
militaret, somnio monitus ; adstitit ei quiescenti Drusi
Neronis effigies, qui Germaniae latissime victor ibi periit,
commendabat memoriam suam orabatque ut se ab iniuria
oblivionis adsereret.   ' Studiosi tres,' in sex volumina propter amplitudinem divisi, quibus oratorem ab incunabulis

instituit et perfecit. 'Dubii sermonis octo'; scripsit sub
Nerone novissimis annis, cum omne studiorum genus
paulo liberius et erectius periculosum servitus fecisset.
'A fine Aufidi Bassi triginta unus'. 'Naturae histori-
arum triginta septem', opus diffusum, eruditum nec
minus varium quam ipsa natura.

incunabula : n. pl., cradle.

282. *The house of Rumour.*

Orbe locus medio est inter terrasque fretumque
caelestesque plagas, triplicis confinia mundi ;
unde quod est usquam, quamvis regionibus absit,
inspicitur, penetratque cavas vox omnis ad aures.
Fama tenet, summaque domum sibi legit in arce,
innumerosque aditus ac mille foramina tectis
addidit, et nullis inclusit limina portis.
nocte dieque patet.   tota est ex aere sonanti ;
tota fremit, vocesque refert, iteratque quod audit.
nulla quies intus, nullaque silentia parte.
nec tamen est clamor, sed parvae murmura vocis :
qualia de pelagi, siquis procul audiat, undis
esse solent ; qualemve sonum, cum Iuppiter atras
increpuit nubes, extrema tonitrua reddunt.
atria turba tenet : veniunt leve vulgus euntque ;
mixtaque cum veris passim commenta vagantur
milia rumorum, confusaque verba volutant.
e quibus hi vacuas implent sermonibus aures,
hi narrata ferunt alio, mensuraque ficti
crescit, et auditis aliquid novus adicit auctor.

foramen : opening ; *commentum :* falsehood.

283. *The consul Marcellus has been killed in an ambush, his colleague Crispinus wounded.*

Multos circa unam rem ambitus fecerim, si quae de
Marcelli morte variant auctores omnia exsequi velim.
Ceterum ita fama variat, ut tamen plerique loci specu-

landi causa castris egressum, omnes insidiis circum-
ventum tradant.

Hannibal magnum terrorem hostibus morte consulis
unius, vulnere alterius iniectum esse ratus, ne cui deesset
occasioni, castra in tumulum in quo pugnatum erat extemplo transfert. Ibi inventum Marcelli corpus sepelit.
Crispinus, et morte collegae et suo vulnere territus,
silentio insequentis noctis profectus, quos proximos
nanctus est montes, in iis loco alto et tuto undique
castra posuit. Ibi duo duces sagaciter moti sunt, alter
ad inferendam, alter ad cavendam fraudem. Anulis
Marcelli simul cum corpore Hannibal potitus erat: eius
signi errore ne cui dolus necteretur a Poeno metuens,
Crispinus circa civitates proximas miserat nuntios,
occisum collegam esse anulisque eius hostem potitum:
ne quibus litteris crederent nomine Marcelli compositis.

ambitus : digression; *exsequor :* relate; *anulus :* signet-ring.

284. *The Poet has no money, but offers hospitality.*

Cenabis bene, mi Fabulle, apud me
paucis, si tibi di favent, diebus,
si tecum attuleris bonam atque magnam
cenam, non sine candida puella
et vino et sale et omnibus cachinnis.
haec si, inquam, attuleris, venuste noster,
cenabis bene: nam tui Catulli
plenus sacculus est aranearum.
sed contra accipies meros amores
seu quid suavius elegantiusve est:
nam unguentum dabo quod meae puellae
donarunt Veneres Cupidinesque;
quod tu cum olfacies, deos rogabis
totum ut te faciant, Fabulle, nasum.

cachinnus : laughter.

285. *Two plans are proposed at a council of war. Curio is satisfied with neither.*

Quibus de causis consilio convocato, de summa rerum deliberare incipit. Erant sententiae quae conandum omnibus modis castraque Vari oppugnanda censerent, quod in huius modi militum consiliis otium maxime contrarium esse arbitrarentur; postremo praestare dicebant per virtutem in pugna belli fortunam experiri quam desertos et circumventos ab suis gravissimum supplicium perpeti. Erant qui censerent de tertia vigilia in Castra Cornelia recedendum esse, ut maiore spatio temporis interiecto militum mentes sanarentur, simul, si quid gravius accidisset, magna multitudine navium et tutius et facilius in Siciliam receptus daretur. Curio utrumque improbans consilium, quantum alteri sententiae deesset animi, tantum alteri superesse dicebat; hos turpissimae fugae rationem habere, illos etiam iniquo loco dimicandum putare. 'Qua enim' inquit 'fiducia et opere et natura loci munitissima castra expugnari posse confidimus? aut vero quid proficimus, si accepto magno detrimento ab oppugnatione castrorum discedimus? Quasi non et felicitas rerum gestarum exercitus benevolentiam imperatoribus, et res adversae odium concilient! Castrorum autem mutatio quid habet nisi turpem fugam et desperationem omnium et alienationem exercitus?'

contrarius: disadvantageous; *improbo*: disapprove.

286. *Apollo answers Niobe's boast by killing her sons one after another.*

Proximus audito sonitu per inane pharetrae
frena dabat Sipylus, veluti cum praescius imbris
nube fugit visa pendentiaque undique rector
carbasa deducit, ne qua levis effluat aura:
frena tamen dantem non evitabile telum

consequitur, summaque tremens cervice sagitta
haesit, et exstabat nudum de gutture ferrum ;
ille, ut erat, pronus per crura admissa iubasque
volvitur et calido tellurem sanguine foedat.
Phaedimus infelix, et aviti nominis heres
Tantalus, ut solito finem imposuere labori,
transierant ad opus nitidae iuvenale palaestrae ;
et iam contulerant arto luctantia nexu
pectora pectoribus ; cum tento concita nervo,
sicut erant iuncti, traiecit utrumque sagitta
ingemuere simul, simul incurvata dolore
membra solo posuere, simul suprema iacentes
lumina versarunt, animam simul exhalarunt.

iuba : mane.

287. *Caratacus, the Briton, before Claudius.*

Ceterorum preces degeneres fuere ex metu : at non
Caratacus aut vultu demisso aut verbis misericordiam
requirens, ubi tribunali adstitit, in hunc modum locutus
est : 'Si quanta nobilitas et fortuna mihi fuit, tanta rerum
prosperarum moderatio fuisset, amicus potius in hanc
urbem quam captus venissem, neque dedignatus esses
claris maioribus ortum, plurimis gentibus imperitantem,
foedere in pacem accipere. Praesens sors mea ut mihi
informis, sic tibi magnifica est. Habui equos viros, arma
opes : quid mirum si haec invitus amisi ? nam si vos
omnibus imperitare vultis, sequitur ut omnes servitutem
accipiant ? si statim deditus traderer, neque mea fortuna
neque tua gloria inclaruisset ; et supplicium mei oblivio
sequeretur : at si incolumem servaveris, aeternum exemplum clementiae ero.' Ad ea Caesar veniam ipsique et
coniugi et fratribus tribuit. Atque illi vinclis absoluti
Agrippinam quoque, haud procul alio suggestu conspicuam,
isdem quibus principem laudibus gratibusque venerati sunt.

suggestus : platform.

288. *The Poet urges himself to cast off Lesbia.*

Difficile est longum subito deponere amorem :
   difficile est, verum hoc qua libet efficias :
una salus haec est, hoc est tibi pervincendum,
   hoc facias sive id non pote sive pote.
o di, si vostrum est misereri, aut si quibus unquam
   extrema iam ipsa in morte tulistis opem,
me miserum aspicite et, si vitam puriter egi,
   eripite hanc pestem perniciemque mihi,
quae mihi surrepens imos ut torpor in artus
   expulit ex omni pectore laetitias.
non iam illud quaero, contra ut me diligat illa,
   aut, quod non potis est, esse pudica velit :
ipse valere opto et taetrum hunc deponere morbum.
   o di, reddite mi hoc pro pietate mea.

     pote, potis : possible; *taeter :* foul.

289. *The zeal of Rome in the study of oratory.*

Ut omittam Graeciam, quae semper eloquentiae princeps esse voluit, atque illas omnium doctrinarum inven-
trices Athenas, in quibus summa dicendi vis et inventa
est et perfecta, in hac ipsa civitate profecto nulla umquam
vehementius quam eloquentiae studia viguerunt. Nam
posteaquam imperio omnium gentium constituto diutur-
nitas pacis otium confirmavit, nemo fere laudis cupidus
adulescens non sibi ad dicendum studio omni enitendum
putavit ; ac primo quidem totius rationis ignari, qui neque
exercitationis ullam vim neque aliquod praeceptum artis
esse arbitrarentur, tantum, quantum ingenio et cogitatione
poterant, consequebantur ; post autem auditis oratoribus
Graecis cognitisque eorum litteris adhibitisque doctoribus
incredibili quodam nostri homines discendi studio flagra-
verunt. Excitabat eos magnitudo, varietas multitudoque
in omni genere causarum, ut ad eam doctrinam, quam suo

quisque studio consecutus esset, adiungeretur usus fre-
quens, qui omnium magistrorum praecepta superaret.

ratio : theory.

290. *Creation: Man is made in the image of the Gods.*

Vix ea limitibus dissaepserat omnia certis,
cum, quae pressa diu massa latuere sub illa,
sidera coeperunt toto effervescere caelo.
neu regio foret ulla suis animantibus orba,
astra tenent caeleste solum formaeque deorum ;
cesserunt nitidis habitandae piscibus undae ;
terra feras cepit, volucres agitabilis aer.
sanctius his animal mentisque capacius altae
deerat adhuc, et quod dominari in cetera posset :
natus homo est, sive hunc divino semine fecit
ille opifex rerum, mundi melioris origo,
sive recens tellus, seductaque nuper ab alto
aethere, cognati retinebat semina caeli :
quam satus Iapeto mixtam pluvialibus undis
finxit in effigiem moderantum cuncta deorum :
pronaque cum spectent animalia cetera terram,
os homini sublime dedit caelumque tueri
iussit et erectos ad sidera tollere vultus.
sic, modo quae fuerat rudis et sine imagine, tellus
induit ignotas hominum conversa figuras.

satus Iapeto : Prometheus, son of Iapetus.

291. *The assemblies of German Tribes.*

De minoribus rebus principes consultant, de maioribus
omnes, ita tamen ut ea quoque, quorum penes plebem
arbitrium est, apud principes praetractentur. Coeunt,
nisi quid fortuitum et subitum incidit, certis diebus, cum
aut incohatur luna aut impletur ; nam agendis rebus hoc
auspicatissimum initium credunt. Nec dierum numerum,
ut nos, sed noctium computant. Sic constituunt, sic

condicunt : nox ducere diem videtur. Illud ex libertate
vitium, quod non simul nec ut iussi conveniunt, sed et
alter et tertius dies cunctatione coeuntium absumitur.
Ut turbae placuit, considunt armati. Silentium per
sacerdotes, quibus tum et coercendi ius est, imperatur.
Mox rex vel princeps, prout aetas cuique, prout nobilitas,
prout decus bellorum, prout facundia est, audiuntur,
auctoritate suadendi magis quam iubendi potestate.

292. *'No children run to lisp their sire's return,
    Or climb his knees the envied kiss to share.'*

'Iam iam non domus accipiet te laeta, neque uxor
optima, nec dulces occurrent oscula nati
praeripere et tacita pectus dulcedine tangent.
non poteris factis florentibus esse, tuisque
praesidium. misero misere' aiunt 'omnia ademit
una dies infesta tibi tot praemia vitae.'
illud in his rebus non addunt 'nec tibi earum
iam desiderium rerum super insidet una.'
quod bene si videant animo dictisque sequantur,
dissolvant animi magno se angore metuque.
' tu quidem ut es leto sopitus, sic eris aevi
quod superest cunctis privatu' doloribus aegris :
at nos horrifico cinefactum te prope busto
insatiabiliter deflevimus, aeternumque
nulla dies nobis maerorem e pectore demet.'

293. *Livy's estimate of Cato the Censor.*

In hoc viro tanta vis animi ingenique fuit, ut quocumque loco natus esset, fortunam sibi ipse facturus
fuisse videretur. Nulla ars neque privatae neque publicae
rei gerendae ei defuit; urbanas rusticasque res pariter
callebat. Ad summos honores alios scientia iuris, alios
eloquentia, alios gloria militaris provexit; huic versatile
ingenium sic pariter ad omnia fuit, ut natum ad id unum

diceres, quodcumque ageret; in bello manu fortissimus
multisque insignibus clarus pugnis, idem postquam ad
magnos honores pervenit, summus imperator, idem in
pace, si ius consuleres, peritissimus; si causa oranda
esset, eloquentissimus; nec is tantum cuius lingua vivo
eo viguerit, monumentum eloquentiae nullum exstet:
vivit immo vigetque eloquentia eius sacrata scriptis
omnis generis.   Orationes et pro se multae et pro aliis
et in alios : nam non solum accusando, sed etiam causam
dicendo fatigavit inimicos.   Simultates nimio plures et
exercuerunt eum et ipse exercuit eas ; nec facile dixeris
utrum magis presserit eum nobilitas an ille agitaverit
nobilitatem.

calleo : be skilled in; simultas : rivalry.

294. *Civil War : Caesar about to cross the Rubicon.*

Iam gelidas Caesar cursu superaverat Alpes,
ingentesque animo motus bellumque futurum
ceperat.   ut ventum est parvi Rubiconis ad undas,
ingens visa duci patriae trepidantis imago,
clara per obscuram vultu maestissima noctem,
turrigero canos effundens vertice crines,
caesarie lacera nudisque adstare lacertis,
et gemitu permixta loqui : ‘ quo tenditis ultra ?
quo fertis mea signa, viri ? si iure venitis,
si cives, huc usque licet ’.   tunc perculit horror
membra ducis, riguere comae, gressumque coercens
languor in extrema tenuit vestigia ripa.
mox ait : ‘ o magnae qui moenia prospicis urbis
Tarpeia de rupe, tonans, Phrygiique penates
gentis Iuleae, et rapti secreta Quirini,
et residens celsa Latialis Iuppiter Alba,
Vestalesque foci, summique o numinis instar
Roma, fave coeptis : non te furialibus armis

persequor: en adsum victor terraque marique
Caesar, ubique tuus, liceat modo, nunc quoque miles.'
caesaries : hair.

295. *Cicero urges the jury not to condemn Milo for the murder of Clodius.*

Utinam P. Clodius non modo viveret, sed etiam
praetor, consul, dictator esset potius quam hoc spectaculum viderem ! O di immortales ! fortem et a vobis, iudices, conservandum virum ! 'Minime, minime' inquit,
'immo vero poenas ille debitas luerit : nos subeamus, si
ita necesse est, non debitas.' Hicine vir patriae natus
usquam nisi in patria morietur, aut, si forte, pro patria ?
huius vos animi monumenta retinebitis, corporis in
Italia nullum sepulcrum esse patiemini ? hunc sua
quisquam sententia ex hac urbe expellet, quem omnes
urbes expulsum a vobis ad se vocabunt ? O terram illam
beatam, quae hunc virum exceperit, hanc ingratam, si
eiecerit, miseram si amiserit ! Sed finis sit ; neque enim
prae lacrimis iam loqui possumus, et hic se lacrimis
defendi vetat. Vos oro obtestorque, iudices, ut in
sententiis ferendis, quod sentietis, id audeatis. Vestram
virtutem, iustitiam, fidem, mihi credite, is maxime comprobabit, qui in iudicibus legendis optimum et sapientissimum et fortissimum quemque elegit.

296. *The recovery by Augustus of the standards taken by the Parthians when Crassus and his son were killed.*

Nec satis est meruisse semel cognomina Marti :
  persequitur Parthi signa retenta manu.
gens fuit et campis et equis et tuta sagittis
  et circumfusis invia fluminibus :
addiderant animos Crassorum funera genti,
  cum periit miles signaque duxque simul.

signa, decus belli, Parthus Romana tenebat,
    Romanaeque aquilae signifer hostis erat.
isque pudor mansisset adhuc, nisi fortibus armis
    Caesaris Ausoniae protegerentur opes.
ille notas veteres et longi dedecus aevi
    sustulit : agnorunt signa recepta suos.
quid tibi nunc solitae mitti post terga sagittae,
    quid loca, quid rapidi profuit usus equi ?
Parthe, refers aquilas, victos quoque porrigis arcus ;
    pignora iam nostri nulla pudoris habes.

invius : unapproachable; *nota :* mark of shame; *porrigo :* surrender.

297. *The ages of man, like the seasons of the year, must be taken as they come.*

Sed mihi ne diuturnum quidem quicquam videtur, in quo est aliquid extremum ; cum enim id advenit, tum illud quod praeteriit effluxit ; tantum remanet quod virtute et recte factis consecutus es. Horae quidem cedunt et dies et menses et anni, nec praeteritum tempus umquam revertitur nec quid sequatur sciri potest. Quod cuique temporis ad vivendum datur, eo debet esse contentus. Neque enim histrioni, ut placeat, peragenda fabula est : modo in quocunque fuerit actu probetur ; neque sapientibus usque ad 'plaudite' veniendum est, breve enim tempus aetatis satis longum est ad bene honesteque vivendum ; sin processerit longius, non magis dolendum est quam agricolae dolent, praeterita verni temporis suavitate, aestatem autumnumque venisse. Ver enim, tanquam adulescentia, significat ostenditque fructus futuros : reliqua autem tempora demetendis fructibus et percipiendis accommodata sunt.

histrio : actor; *percipio :* gather in.

298. *Human Progress.*

Iam validis saepti degebant turribus aevom
et divisa colebatur discretaque tellus,

iam mare velivolis florebat puppibus; urbes
auxilia ac socios iam pacto foedere habebant,
carminibus cum res gestas coepere poetae
tradere ; nec multo priu' sunt elementa reperta.
propterea quid sit prius actum respicere aetas
nostra nequit, nisi qua ratio vestigia monstrat.
navigia atque agri culturas, moenia, leges,
arma, vias, vestes et cetera de genere horum,
praemia, delicias quoque vitae funditus omnis,
carmina, picturas, et daedala signa polire,
usus et impigrae simul experientia mentis
paulatim docuit pedetemptim progredientis.

elementa : letters (of the alphabet); *funditus :* throughout,
completely.

299. *Macedonian envoys denounce the policy of Rome.*

'Messanae ut auxilio essent, primo in Siciliam tran-
scenderunt Romani; iterum, ut Syracusas oppressas ab
Carthaginiensibus in libertatem eximerent. Et Messanam
et Syracusas et totam Siciliam ipsi habent, vectigalemque
provinciam securibus et fascibus subiecerunt. Nec id
mirari debent homines aut possunt, cum Italiae urbes
Rhegium, Tarentum, Capuam (ne finitimas, quarum
ruinis crevit urbs Roma, nominem) eidem subiectas videant imperio. Capua quidem, sepulcrum ac monumentum Campani populi, elato et extorri eiecto ipso populo
superest : urbs trunca, sine senatu, sine plebe, sine magi-
stratibus, prodigium, relicta crudelius habitanda quam si
deleta foret. Furor est, si alienigenae homines plus lingua
et moribus et legibus quam maris terrarumque spatio
discreti haec tenuerint, sperare quidquam eodem statu
mansurum. Adsuefacite his terris legiones externas, et
iugum accipite. Sero ac nequiquam, cum dominum
Romanum habebitis, socium Philippum quaeretis.'

300. *Leander swims from Abydus to Sestus.*

Unda repercussae radiabat imagine lunae,
     et nitor in tacita nocte diurnus erat ;
nullaque vox usquam, nullum veniebat ad aures
     praeter dimotae corpore murmur aquae.
Alcyones solae, memores Ceycis amati,
     nescio quid visae sunt mihi dulce queri.
iamque fatigatis humero sub utroque lacertis,
     fortiter in summas erigor altus aquas.
ut procul aspexi lumen, 'meus ignis in illo est :
     illa meum' dixi 'litora lumen habent.'
et subito lassis vires rediere lacertis,
     visaque quam fuerat mollior unda mihi.
frigora ne possim gelidi sentire profundi,
     qui calet in cupido pectore, praestat amor.
quo magis accedo, propioraque litora fiunt,
     quoque minus restat, plus libet ire mihi.

301. *A fortress carried by escalade.*

Id ubi vidit Scipio, veritus ne vanis tot conatibus suorum
et hostibus cresceret animus et segnior miles fieret, sibi-
met conandum ac partem periculi capessendam esse ratus,
increpita ignavia militum ferri scalas iubet ; se ipsum, si
ceteri cunctentur, escensurum minatur. Iam subierat
haud mediocri periculo moenia, cum clamor undique ab
sollicitis vicem imperatoris militibus sublatus, scalaeque
multis simul partibus erigi coeptae. Et ex altera parte
Laelius institit. Tum victa oppidanorum vis, deiectisque
propugnatoribus occupantur muri. Arx etiam ab ea parte
qua inexpugnabilis videbatur, inter tumultum capta est.
Transfugae Afri, qui tum inter auxilia Romana erant,
conspexerunt editissimam urbis partem quae rupe praealta
tegebatur, neque opere ullo munitam et ab defensoribus
vacuam. Levium corporum homines et multa exercitatione pernicium, clavos secum ferreos portantes, qua per

inaequaliter eminentia rupis poterant, scandunt. Sicubi
nimis arduum et leve saxum occurrebat, clavos per modica
intervalla figentes cum velut gradus fecissent, primi sequentes extrahentes manu, postremi sublevantes eos qui
praeirent, in summum evadunt.

> *vicem :* on account of; *clavos :* spikes.

302. *A dialogue between Horace and a social climber who wants to meet Maecenas.*

                                'Maecenas quomodo tecum?'
hinc repetit : 'paucorum hominum et mentis bene sanae ;
nemo dexterius fortuna est usus.   haberes
magnum adiutorem, posset qui ferre secundas,
hunc hominem velles si tradere : disperiam ni
summosses omnis.' 'non isto vivimus illic
quo tu rere modo ; domus hac nec purior ulla est
nec magis his aliena malis ; nil mi officit' inquam
'ditior hic aut est quia doctior ; est locus uni
cuique suus.' 'magnum narras, vix credibile.' 'atqui
sic habet.' 'accendis, quare cupiam magis illi
proximus esse.' 'velis tantummodo, quae tua virtus,
expugnabis ; et est qui vinci possit, eoque
difficilis aditus primos habet.' 'haud mihi deero :
muneribus servos corrumpam. non, hodie si
exclusus fuero, desistam ; tempora quaeram.'

303. *'That last infirmity of noble mind.'*

Quid in hac republica tot tantosque viros ob rempublicam interfectos cogitasse arbitramur? iisdemne ut finibus
nomen suum quibus vita terminaretur? Nemo unquam
sine magna spe immortalitatis se pro patria offerret ad
mortem.   Licuit esse otioso Themistocli, licuit Epaminon-
dae, licuit (ne et vetera et externa quaeram) mihi : sed
nescio quomodo inhaeret in mentibus quasi saeculorum
quoddam augurium futurorum : idque in maximis ingeniis
altissimisque animis et exsistit maxime et apparet facillime.

Quo quidem dempto, quis tam esset amens qui semper in
laboribus et periculis viveret? Loquor de principibus:
quid poetae? nonne post mortem nobilitari volunt? unde
ergo illud?—

> 'Aspicite, o cives, senis Enni imagini' formam:
> hic vestrum pinxit maxima facta patrum.'

Mercedem gloriae flagitat ab iis quorum patres affecerat
gloria: idemque,

> 'Nemo me lacrumis decoret, nec funera fletu
> faxit. cur? volito vivu' per ora virum.'

Sed quid poetas? opifices post mortem nobilitari volunt.
Quid enim Phidias sui similem speciem inclusit in clipeo
Minervae, cum inscribere non liceret? quid nostri philo-
sophi? nonne in his ipsis libris, quos scribunt de contem-
nenda gloria, sua nomina inscribunt?

304. *For neglecting Bacchus, the daughters of Minyas are turned to bats.*

Iamque dies exactus erat, tempusque subibat
quod tu nec tenebras nec possis dicere lucem,
sed cum luce tamen dubiae confinia noctis:
tecta repente quati pinguesque ardere videntur
lampades et rutulis conlucere ignibus aedes,
falsaque saevarum simulacra ululare ferarum.
fumida iamdudum latitant per tecta sorores
diversaeque locis ignes ac lumina vitant:
dumque petunt tenebras, parvos membrana per artus
porrigitur tenuesque includunt bracchia pennae.
nec qua perdiderint veterem ratione figuram
scire sinunt tenebrae: non illas pluma levavit,
sustinuere tamen se perlucentibus alis,
conataeque loqui minimam et pro corpore vocem
emittunt, peraguntque levi stridore querellas.
tectaque, non silvas, celebrant: lucemque perosae
nocte volant seroque tenent a vespere nomen.

305. *Sallust's choice of a subject.*

Igitur, ubi animus ex multis miseriis atque periculis requievit, et mihi reliquam aetatem a republica procul habendam decrevi, non fuit consilium socordia atque desidia bonum otium conterere, neque vero agrum colendo aut venando, servilibus officiis, intentum aetatem agere ; sed a quo incepto studio me ambitio mala detinuerat, eodem regressus statui res gestas populi Romani carptim, ut quaeque memoria digna videbantur, perscribere ; eo magis, quod mihi a spe, metu, partibus reipublicae animus liber erat. Igitur de Catilinae coniuratione, quam verissime potero, paucis absolvam : nam id facinus in primis ego memorabile existimo sceleris atque periculi novitate. De cuius hominis moribus pauca prius explananda sunt quam initium narrandi faciam. Lucius Catilina nobili genere natus, fuit magna vi et animi et corporis, sed ingenio malo pravoque. Huic ab adolescentia bella intestina, caedes, rapinae, discordia civilis grata fuere, ibique iuventutem suam exercuit. Corpus patiens inediae, vigiliae, algoris, supra quam cuiquam credibile est ; animus audax, subdolus, varius, cuius rei libet simulator ac dissimulator ; alieni appetens, sui profusus ; ardens in cupiditatibus ; satis eloquentiae, sapientiae parum.

306. *Catullus asks his friends to be so brave as to take a message to Lesbia.*

Furi et Aureli, comites Catulli,
sive in extremos penetrabit Indos,
litus ut longe resonante Eoa
    tunditur unda,
sive in Hyrcanos Arabesque molles,
seu Sacas sagittiferosve Parthos,
sive quae septemgeminus colorat
    aequora Nilus,

sive trans altas gradietur Alpes,
Caesaris visens monimenta magni,
Gallicum Rhenum horribilesque ulti-
    mosque Britannos;
omnia haec, quaecumque feret voluntas
caelitum, temptare simul parati,
pauca nuntiate meae puellae
    non bona dicta:
ne meum respectet ut ante amorem,
qui illius culpa cecidit velut prati
ultimi flos, praetereunte postquam
    tactus aratro est.

Eous: eastern.

307. *Reflexions on the death of Verginius Rufus, A. D. 97.*

Huius viri exequiae magnum ornamentum principi,
magnum saeculo, magnum etiam foro et rostris attulerunt.   Laudatus est a consule Cornelio Tacito; nam hic
supremus felicitati eius cumulus accessit, laudator eloquentissimus.   Et ille quidem plenus annis abiit, plenus
honoribus, illis etiam quos recusavit; nobis tamen
quaerendus ac desiderandus est ut exemplar aevi prioris,
mihi vero praecipue, qui illum non solum publice quantum admirabar tantum diligebam; primum quod utrique
eadem regio, municipia finitima, agri etiam possessio-
nesque coniunctae, praeterea quod ille mihi tutor relictus
adfectum parentis exhibuit.   Sic candidatum me suffragio
ornavit, sic ad omnes honores meos ex secessibus ac-
cucurrit, cum iam pridem eiusmodi officiis renuntiasset,
sic illo die, quo sacerdotes solent nominare, quos dignis-
simos sacerdotio iudicant, me semper nominabat.

308. *Sosia discusses his son with his old friend Simo.*

> *Si.* Rem omnem a principio audies :
> eo pacto et nati vitam et consilium meum
> cognosces et quid facere in hac re te velim.
> nam is postquam excessit ex ephebis, (nam antea
> qui scire posses aut ingenium noscere,
> dum aetas metus magister prohibebant ? *So.* ita est.)
> *Si.* quod plerique omnes faciunt adulescentuli,
> ut animum ad aliquod studium adiungant, aut equos
> alere aut canes ad venandum aut ad philosophos,
> horum ille nil egregie praeter cetera
> studebat et tamen omnia haec mediocriter.
> gaudebam.   *So.* non iniuria : nam id arbitror
> adprime in vita esse utile, ut ne quid nimis.
> *Si.* sic vita erat : facile omnis perferre ac pati ;
> cum quibus erat cumque una, se eis dedere ;
> eorum studiis obsequi : ita ut facillime
> sine invidia laudem invenias et amicos pares.

ephebus : (at Athens) young man aged 18–20.

309. *The men who killed Caesar : liberators or assassins ?*

Attende enim paulisper, cogitationem sobrii hominis
punctum temporis suscipe. Ego, qui sum illorum, ut
ipse fateor, familiaris, ut a te arguor, socius, nego quicquam esse medium ; confiteor eos, nisi liberatores populi
Romani conservatoresque reipublicae sint, plus quam
sicarios, plus quam homicidas, plus etiam quam parricidas
esse ; si quidem est atrocius patriae parentem quam suum
occidere. Tu, homo sapiens et considerate, quid dicis ?
Si parricidas, cur honoris causa a te sunt in hoc ordine
et apud populum Romanum semper appellati ? Cur M.
Brutus, te referente, legibus est solutus, si ab urbe plus
quam decem dies abfuisset ? Cur ludi Apollinares

incredibili M. Bruti honore celebrati? Cur provinciae
Cassio et Bruto datae? cur quaestores additi? cur legatorum numerus auctus? Atque haec acta per te. Non
igitur homicidae. Sequitur ut liberatores tuo iudicio sint,
quandoquidem tertium nihil potest esse. Quae enim res
umquam, pro sancte Iuppiter! non modo in hac urbe,
sed in omnibus terris est gesta maior? Quae gloriosior?
Quae commendatior hominum memoriae sempiternae?
In huius me tu consili societatem tamquam in equum
Troianum cum principibus includis? Non recuso; ago
etiam gratias, quoquo animo facis.

sicarius : assassin; *refero :* propose.

310. *Tibullus would be content with love in a cottage.*

Non ego totus abesset amor, sed mutuus esset
    orabam, nec te posse carere velim.
ferreus ille fuit qui, te cum posset habere,
    maluerit praedas stultus et arma sequi.
ille licet Cilicum victas agat ante catervas,
    ponat et in capto Martia castra solo,
totus et argento contextus, totus et auro,
    insideat celeri conspiciendus equo;
ipse boves, mea, si tecum modo, Delia, possim
    iungere et in solito pascere monte pecus,
et te dum liceat teneris retinere lacertis,
    mollis et inculta sit mihi somnus humo.
quid Tyrio recubare toro sine amore secundo
    prodest, cum fletu nox vigilanda venit?
nam neque tunc plumae nec stragula picta soporem
    nec sonitus placidae ducere posset aquae.

stragula : coverlet.

311. *Pliny expects his fame to live with that
of the historian Tacitus.*

Librum tuum legi et, quam diligentissime potui, ad-
notavi, quae commutanda, quae eximenda arbitrarer.

Nam et ego verum dicere adsuevi et tu libenter audire.
Neque enim ulli patientius reprehenduntur, quam qui
maxime laudari merentur. Nunc a te librum meum cum
adnotationibus tuis exspecto. O iucundas, o pulcras vices!
Quam me delectat, quod, si qua posteris cura nostri,
usquequaque narrabitur, qua concordia, simplicitate, fide
vixerimus! Erit rarum et insigne duos homines aetate,
dignitate propemodum aequales, non nullius in litteris
nominis (cogor enim de te quoque parcius dicere, quia
de me simul dico), alterum alterius studia fovisse. Equidem adulescentulus, cum iam tu fama gloriaque floreres,
te sequi, tibi 'longo sed proximus intervallo' et esse et
haberi concupiscebam. Et erant multa clarissima ingenia; sed tu mihi (ita similitudo naturae ferebat) maxime
imitabilis, maxime imitandus videbaris.

312. *Ovid in his exile is pursued by sorrow even in his dreams.*

Somnia me terrent veros imitantia casus,
    et vigilant sensus in mea damna mei.
aut ego Sarmaticas videor vitare sagittas,
    aut dare captivas ad fera vincla manus:
aut ubi decipior melioris imagine somni,
    aspicio patriae tecta relicta meae.
et modo vobiscum, quos sum veneratus, amici,
    et modo cum cara coniuge multa loquor.
sic ubi percepta est brevis et non vera voluptas,
    peior ab admonitu fit status iste boni.
sive dies igitur caput hoc miserabile cernit,
    sive pruinosi Noctis aguntur equi,
sic mea perpetuis liquefiunt pectora curis,
    ignibus admotis ut nova cera solet.
saepe precor mortem, mortem quoque deprecor idem,
    ne mea Sarmaticum contegat ossa solum.

      pruinosus: frosty; *cera*: wax.

313. *The death of Agricola.*

Tu vero felix, Agricola, non vitae tantum claritate,
sed etiam opportunitate mortis. Ut perhibent qui inter-
fuerunt novissimis sermonibus tuis, constans et libens
fatum excepisti, tamquam pro virili portione innocentiam
principi donares. Sed mihi filiaeque eius praeter acer-
bitatem parentis erepti auget maestitiam, quod adsidere
valetudini, fovere deficientem, satiari vultu complexuque
non contigit. Excepissemus certe mandata vocesque,
quas penitus animo figeremus. Noster hic dolor, nostrum
vulnus, nobis tam longae absentiae condicione ante
quadriennium amissus est. Omnia sine dubio, optime
parentum, adsidente amantissima uxore superfuere honori
tuo : paucioribus tamen lacrimis comploratus es, et novissima in luce desideravere aliquid oculi tui.

314. *Transmigration of souls.*

O genus attonitum gelidae formidine mortis !
quid Styga, quid tenebras et nomina vana timetis,
materiem vatum, falsique pericula mundi ?
corpora sive rogus flamma, seu tabe vetustas
abstulerit, mala posse pati non ulla putetis.
morte carent animae, semperque priore relicta
sede novis domibus vivunt habitantque receptae.
omnia mutantur. nihil interit. errat, et illinc
huc venit, hinc illuc, et quoslibet occupat artus
spiritus, eque feris humana in corpora transit,
inque feras noster, nec tempore deperit ullo.
utque novis facilis signatur cera figuris,
nec manet ut fuerat, nec formas servat easdem,
sed tamen ipsa eadem est, animam sic semper eandem
esse, sed in varias doceo migrare figuras.

tabes : decay.

315. *The aim of human life.*

Nos vero, si quidem in voluptate sunt omnia, longe
multumque superamur a bestiis : quibus ipsa terra fundit
ex se pastus varios atque abundantes nihil laborantibus :
nobis autem aut vix aut ne vix quidem suppetunt multo
labore quaerentibus. Nec tamen ullo modo summum
pecudis bonum et hominis idem mihi videri potest. Quid
enim tanto opus est instrumento in optimis artibus com-
parandis, quid tanto concursu honestissimorum studiorum, tanto virtutum comitatu, si ea nullam ad aliam rem
nisi ad voluptatem conquiruntur ? Ut, si Xerxes, cum tantis classibus tantisque equestribus et pedestribus copiis,
Hellesponto iuncto, Athone perfosso, maria ambulavisset
terramque navigasset, si, cum tanto impetu in Graeciam
venisset, causam quis ex eo quaereret tantarum copiarum
tantique belli, mel se auferre ex Hymetto voluisse diceret,
certe sine causa videretur tanta conatus : sic nos sapientem, plurimis et gravissimis artibus atque virtutibus
instructum et ornatum, non, ut illum, maria pedibus pera-
grantem, classibus montes, sed omne caelum totamque
cum universo mari terram mente complexum, voluptatem petere si dicemus, mellis causa dicemus tanta
molitum. Ad altiora quaedam et magnificentiora, mihi
crede, Torquate, nati sumus.

316. *Turnus' last throw.*

Aeneas instat contra telumque coruscat,
ingens, arboreum, et saevo sic pectore fatur :
' quae nunc deinde mora est ? aut quid iam, Turne,
    retractas ?
non cursu, saevis certandum est comminus armis.
ille caput quassans : ' non me tua fervida terrent
dicta, ferox : di me terrent et Iuppiter hostis.'
nec plura effatus, saxum circumspicit ingens,

saxum antiquum, ingens, campo quod forte iacebat,
limes agro positus, litem ut discerneret arvis ;
vix illud lecti bis sex cervice subirent,
qualia nunc hominum producit corpora tellus ;
ille manu raptum trepida torquebat in hostem,
altior insurgens et cursu concitus heros.
sed neque currentem se nec cognoscit euntem,
tollentemve manu saxumve inmane moventem ;
genua labant, gelidus concrevit frigore sanguis.
tum lapis ipse viri, vacuum per inane volutus,
nec spatium evasit totum, neque pertulit ictum.

317. *Trajan answers inquiries on the details of provincial administration.*

Quid oporteat facere circa theatrum, quod incohatum
apud Nicaeenses est, in re praesenti optime deliberabis
et constitues.   Mihi sufficit indicari cui sententiae acces-
seris.   Tunc autem a privatis exigi opera tibi curae sit,
cum theatrum, propter quod illa promissa sunt, factum
erit.   Gymnasiis indulgent Graeculi ; ideo forsitan
Nicaeenses maiore animo constructionem eius adgressi
sunt.   Sed oportet illos eo contentos esse, quod possit
illis sufficere.   Quid Claudiopolitanis circa balineum, quod
parum (ut scribis) idoneo loco incohaverunt, suadendum
sit, tu constitues. Architecti tibi deesse non possunt.
Nulla provincia est quae non peritos et ingeniosos homines
habeat ; modo ne existimes brevius esse ab urbe mitti,
cum ex Graecia etiam ad nos venire soliti sint.

balineum : public baths.

318.   '*In his blindness Bows down to wood and stone.*'

O genus infelix humanum, talia divis
cum tribuit facta atque iras adiunxit acerbas !
quantos tum gemitus ipsi sibi, quantaque nobis
volnera, quas lacrimas peperere minoribu' nostris !

nec pietas ullast velatum saepe videri
vertier ad lapidem atque omnis accedere ad aras
nec procumbere humi prostratum et pandere palmas
ante deum delubra nec aras sanguine multo
spargere quadrupedum nec votis nectere vota
sed mage pacata posse omnia mente tueri.
nam cum suspicimus magni caelestia mundi
templa, super stellisque micantibus aethera fixum,
et venit in mentem solis lunaeque viarum,
tunc aliis oppressa malis in pectora cura
illa quoque expergefactum caput erigere infit,
nequae forte deum nobis immensa potestas
sit, vario motu quae candida sidera verset.

319. *Tiberius's skill in astrology; and how he chose his master.*

Non omiserim praesagium Tiberii de Servio Galba
tum consule: quem accitum et diversis sermonibus per-
temptatum postremo Graecis verbis in hanc sententiam
adlocutus est, 'et tu, Galba, quandoque degustabis imperium,' seram ac brevem potentiam significans, scientia
Chaldaeorum artis, cuius apiscendae otium apud Rho-
dum, magistrum Thrasullum habuit, peritiam eius hoc
modo expertus.

Quotiens super tali negotio consultaret, edita domus
parte ac liberti unius conscientia utebatur. Is litterarum
ignarus, corpore valido, per avia ac derupta (nam saxis
domus imminet) praeibat eum, cuius artem experiri
Tiberius statuisset, et regredientem, si vanitatis aut
fraudum suspicio incesserat, in subiectum mare praecipi-
tabat, ne index arcani existeret. Igitur Thrasullus isdem
rupibus inductus postquam percontantem commoverat,
imperium ipsi et futura sollerter patefaciens, interrogatur
an suam quoque genitalem horam comperisset, quem tum
annum, qualem diem haberet. Ille positus siderum ac

spatia dimensus haerere primo, dein pavescere, et quantum introspiceret, magis ac magis trepidus admirationis
et metus, postremo exclamat ambiguum sibi ac prope
ultimum discrimen instare. Tum complexus eum Tiberius praescium periculorum et incolumem fore gratatur,
quaeque dixerat oracli vice accipiens inter intimos amicorum tenet.

320. ' *The undiscovered country*.'

Est via declivis funesta nubila taxo :
ducit ad infernas per muta silentia sedes.
Styx nebulas exhalat iners, umbraeque recentes
descendunt illac simulacraque functa sepulcris.
pallor hiemsque tenent late loca senta ; novique,
qua sit iter, manes, Stygiam quod ducat ad urbem
ignorant, ubi sit nigri fera regia Ditis.
mille capax aditus et apertas undique portas
urbs habet ; utque fretum de tota flumina terra,
sic omnes animas locus accipit ille, nec ulli
exiguus populo est turbamve accedere sentit.
errant exsangues sine corpore et ossibus umbrae,
parsque forum celebrant, pars imi tecta tyranni,
pars aliquas artes, antiquae imitamina vitae
exercent, aliam partem sua poena coercet.

taxus : yew ; *sentus :* rugged.

321. *The early inhabitants of Africa*.

Africam initio habuere Gaetuli et Libyes, asperi incul-
tique ; queis cibus erat caro ferina atque humi pabulum,
uti pecoribus. Hi neque moribus neque lege aut imperio
cuiusquam regebantur ; vagi, palantes, qua nox coegerat
sedes habebant. Sed postquam in Hispania Hercules,
sicuti Afri putant, interiit, exercitus eius, compositus ex
variis gentibus, amisso duce ac passim multis sibi quisque imperium petentibus, brevi dilabitur. Ex eo numero
Medi, Persae et Armenii, navibus in Africam transvecti,

proximos nostro mari locos occupavere: sed Persae
intra Oceanum magis; iique alveos navium inversos pro
tuguriis habuere, quia neque materia in agris, neque ab
Hispanis emendi aut mutandi copia erat; mare magnum
et ignara lingua commercia prohibebant. Hi paulatim
per connubia Gaetulos secum miscuere, et quia saepe
temptantes agros alia, deinde alia loca petiverant, semet
ipsi Nomadas apellavere. Ceterum adhuc aedificia
Numidarum agrestium, quae mapalia illi vocant, oblonga,
incurvis lateribus tecta, quasi navium carinae sunt.

322. *Ariadne complains of her desertion.*

Nam quo me referam? quali spe perdita nitor?
Idaeosne petam montes? a, gurgite lato
discernens ponti truculentum dividit aequor!
an patris auxilium sperem? quemne ipsa reliqui
respersum iuvenem fraterna caede secuta?
coniugis an fido consoler memet amore?
quine fugit lentos incurvans gurgite remos?
praeterea nullo colitur sola insula tecto,
nec patet egressus pelagi cingentibus undis:
nulla fugae ratio, nulla spes: omnia muta,
omnia sunt deserta, ostentant omnia letum.
non tamen ante mihi languescent lumina morte,
nec prius a fesso secedent corpore sensus,
quam iustam a divis exposcam prodita multam,
caelestumque fidem postrema comprecer hora.

323. *A mystery at the beginning of Tiberius's reign.*

Primum facinus novi principatus fuit Postumi Agrippae
caedes, quem ignarum inermumque quamvis firmatus
animo centurio aegre confecit. Nihil de ea re Tiberius
apud senatum disseruit: patris iussa simulabat, quibus
praescripsisset tribuno custodiae adposito ne cunctare-
tur Agrippam morte adficere quandoque ipse supremum
diem explevisset. Multa sine dubio saevaque Augustus de

moribus adulescentis questus, ut exilium eius senatus
consulto sanciretur perfecerat: ceterum in nullius umquam suorum necem duravit, neque mortem nepoti pro
securitate privigni inlatam credibile erat. Propius vero,
Tiberium ac Liviam, illum metu, hanc novercalibus odiis,
suspecti et invisi iuvenis caedem festinavisse. Nuntianti
centurioni, ut mos militiae, factum esse quod imperasset,
neque imperasse sese et rationem facti reddendam apud
senatum respondit.

privignus : step-son.

324. *How Theseus, returning from Crete, forgot his promise to his father Aegeus : and how Aegeus died.*

' Quod tibi si sancti concesserit incola Itoni,
quae nostrum genus ac sedes defendere Erechthei
annuit, ut tauri respergas sanguine dextram,
tum vero facito ut memori tibi condita corde
haec vigeant mandata, nec ulla oblitteret aetas ;
ut simul ac nostros invisent lumina collis,
funestam antennae deponant undique vestem,
candidaque intorti sustollant vela rudentes ;
quam primum cernens ut laeta gaudia mente
agnoscam, cum te reducem aetas prospera sistet.'
haec mandata prius constanti mente tenentem
Thesea ceu pulsae ventorum flamine nubes
aerium nivei montis liquere cacumen.
at pater, ut summa prospectum ex arce petebat,
anxia in assiduos absumens lumina fletus,
cum primum inflati conspexit lintea veli,
praecipitem sese scopulorum e vertice iecit,
amissum credens immiti Thesea fato.

antenna : yard.

325. *Rome humiliated by the pirates.*

Quae civitas umquam fuit antea, non dico Atheniensium, quae satis late quondam mare tenuisse dicitur, non

Carthaginiensium, qui permultum classe ac maritimis
rebus valuerunt, non Rhodiorum, quorum usque ad
nostram memoriam disciplina navalis et gloria remansit,
quae civitas umquam antea tam tenuis aut tam parvula
fuit, quae non portus suos et agros et aliquam partem
regionis atque orae maritimae per se ipsa defenderet ? At
hercules aliquot annos continuos ante legem Gabiniam
ille populus Romanus, cuius usque ad nostram memoriam
nomen invictum in navalibus pugnis permanserit, magna
ac multo maxima parte non modo utilitatis, sed
dignitatis atque imperi caruit. Nos, quorum maiores
Antiochum regem classe Persenque superarunt omni-
busque navalibus pugnis Carthaginienses, homines in
maritimis rebus exercitatissimos paratissimosque, vicerunt,
ii nullo in loco iam praedonibus pares esse poteramus :
nos, qui antea non modo Italiam tutam habebamus, sed
omnes socios in ultimis oris auctoritate nostri imperi
salvos praestare poteramus, eidem non modo provinciis
atque oris Italiae maritimis ac portibus nostris, sed
etiam Appia iam via carebamus.

326. *The sins of Nero.*

Libera si dentur populo suffragia, quis tam
perditus ut dubitet Senecam praeferre Neroni—
cuius supplicio non debuit una parari
simia nec serpens unus nec culleus unus ?
par Agamemnonidae crimen ; sed causa facit rem
dissimilem : quippe ille deis auctoribus ultor
patris erat caesi media inter pocula : sed nec
Electrae iugulo se polluit aut Spartani
sanguine coniugii : nullis aconita propinquis
miscuit, in scena nunquam cantavit Orestes,
Troica non scripsit. quid enim Verginius armis
debuit ulcisci magis, aut cum Vindice Galba,

quod Nero tam saeva crudaque tyrannide fecit ?
haec opera atque hae sunt generosi principis artes.

culleus : sack; *aconitum :* aconite, a poison.

327. *Hermolaus boldly defends Callisthenes' plot against Alexander.*

Stupentibus ceteris Hermolaus 'Nos vero' inquit
'quoniam, quasi nescias, quaeris, occidendi te consilium
iniimus, quia non ut ingenuis imperare coepisti, sed quasi
in mancipia dominari.' Primus ex omnibus pater ipsius
Sopolis, parricidam etiam parentis sui clamitans esse,
consurgit et ad os manu obiecta scelere et malis insani-
entem ultra negat audiendum. Rex inhibito patre dicere
Hermolaum iubet quae ex magistro didicisset Callisthene.
Et Hermolaus 'Utor' inquit 'beneficio tuo et dico quae
nostris malis didici. Quota pars Macedonum saevitiae tuae
superest ? quotus quidem non e vilissimo sanguine ? Atta-
lus et Philotas et Parmenio et Lyncestes Alexander et
Clitus, quantum ad hostes pertinet, vivunt, stant in acie,
te clipeis suis protegunt et pro gloria tua, pro victoria
vulnera excipiunt : quibus tu egregiam gratiam rettulisti.
Alius mensam tuam sanguine suo respersit : alius ne
simplici quidem morte defunctus est : duces exercituum
tuorum in eculeum impositi Persis, quos vicerant, fuere
spectaculo. Parmenio indicta causa trucidatus est, per
quem Attalum occideras. Invicem enim miserorum
uteris manibus ad expetenda supplicia et, quos paulo
ante ministros caedis habuisti, subito ab aliis iubes
trucidari.'

328. *Ariadne abandoned on Naxos.*

Sicine me patriis avectam, perfide, ab aris,
perfide, deserto liquisti in litore, Theseu ?
sicine discedens neglecto numine divum
immemor, a, devota domum periuria portas ?
nullane res potuit crudelis flectere mentis

consilium? tibi nulla fuit clementia praesto,
immite ut nostri vellet miserescere pectus?
at non haec quondam blanda promissa dedisti
voce mihi; non haec misera sperare iubebas,
sed conubia laeta, sed optatos hymenaeos,
quae cuncta aerii discerpunt irrita venti.
iam non ulla viro iuranti femina credat,
nulla viri speret sermones esse fideles;
quis dum aliquid cupiens animus praegestit apisci,
nil metuunt iurare, nihil promittere parcunt:
sed simul ac cupidae mentis satiata libido est,
dicta nihil metuere, nihil periuria curant.

praesto: at hand; *apiscor:* gain.

329. *To extol Archias the poet, Cicero explains his views on renown.*

Atque ut id libentius faciatis, iam me vobis, iudices,
indicabo et de meo quodam amore gloriae nimis acri
fortasse, verum tamen honesto vobis confitebor. Nam
quas res nos in consulatu nostro vobiscum simul pro salute
huius urbis atque imperi et pro vita civium proque uni-
versa re publica gessimus, attigit hic versibus atque incohavit. Quibus auditis, quod mihi magna res et iucunda
visa est, hunc ad perficiendum adornavi. Nullam enim
virtus aliam mercedem laborum periculorumque desiderat
praeter hanc laudis et gloriae; qua quidem detracta,
iudices, quid est quod in hoc tam exiguo vitae curriculo
et tam brevi tantis nos in laboribus exerceamus? Certe,
si nihil animus praesentiret in posterum, et si, quibus
regionibus vitae spatium circumscriptum est, isdem omnis
cogitationes terminaret suas, nec tantis se laboribus
frangeret neque tot curis vigiliisque angeretur nec totiens
de ipsa vita dimicaret. Nunc insidet quaedam in optimo
quoque virtus, quae noctes ac dies animum gloriae
stimulis concitat atque admonet non cum vitae tempore

esse dimittendam commemorationem nominis nostri, sed
cum omni posteritate adaequandam.

330. *Preparations for a rustic singing-match.*

Intactam Crocalen puer Astacus et puer Idas,
(Idas lanigeri dominus gregis, Astacus horti,)
dilexere diu, formosus uterque nec impar
voce sonans.   hi, cum terras gravis ureret aestas,
ad gelidos fontes et easdem forte sub ulmos
conveniunt, dulcique parant contendere cantu.
adfuit omne genus pecudum, genus omne ferarum,
et quodcumque vagis altum ferit aethera pennis ;
convenit umbrosa quicumque sub ilice lentus
pascit oves, Faunusque pater Satyrique bicornes ;
adfuerunt sicco Dryades pede, Naiades udo,
et tenuere suos properantia flumina cursus ;
desistunt tremulis incurrere frondibus Euri,
altaque per totos fecere silentia montes.
omnia cessabant, neglectaque pascua tauri
calcabant ; illis etiam certantibus ausa est
daedala nectareos apis intermittere flores.

calcare : tread upon; *daedalus* : skilful ; *intermittere* : neglect, leave.

331. *A change in the text of the Georgics.*

Scriptum in quodam commentario repperi, versus istos
a Vergilio ita primum esse recitatos atque editos :
       ' Talem dives arat Capua et vicina Vesevo
          Nola iugo ' ;
postea Vergilium petisse a Nolanis, aquam uti duceret in
propinquum rus, Nolanos beneficium petitum non fecisse,
poetam offensum nomen urbis eorum, quasi ex hominum
memoria, sic ex carmine suo derasisse, ' oram '-que pro
' Nola ' mutasse atque ita reliquisse ;
                                     ' et vicina Vesevo
          ora iugo '.

Ea res verane an falsa sit, non laboro ; quin tamen melius
suaviusque ad aures sit ' ora ' quam ' Nola ', dubium id
non est. Nam vocalis in priore versu extrema eademque in
sequenti prima canoro simul atque iucundo hiatu tractim
sonat. Est adeo invenire apud nobiles poetas huiuscemodi
suavitatis multa, quae appareat navata esse, non fortuita ;
sed praeter ceteros omnes apud Homerum plurima.

      tractim : lingeringly ; *navare :* achieve, attain.

332. *The havoc of the winds.*

Principio venti vis verberat incita pontum
ingentesque ruit naves et nubila differt,
interdum rapido percurrens turbine campos
arboribus magnis sternit montesque supremos
silvifragis vexat flabris ; ita perfurit acri
cum fremitu saevitque minaci murmure ventus.
sunt igitur venti, nimirum, corpora caeca,
quae mare, quae terras, quae denique nubila caeli
verrunt ac subito vexantia turbine raptant,
nec ratione fluunt alia stragemque propagant
et cum mollis aquae fertur natura repente
flumine abundanti, cum largis imbribus urget
montibus ex altis magnus decursus aquai,
fragmina coniciens silvarum arbustaque tota,
nec validi possunt pontes venientis aquai
vim subitam tolerare ; ita magno turbidus imbri
molibus incurrit validis cum viribus amnis :
dat sonitu magno stragem, volvitque sub undis
grandia saxa, ruunt quae quidquid fluctibus obstat.

333. *The manifold provisions of Nature.*

Unde igitur rectius ordiri possumus quam a communi
parente natura? Quae quidquid genuit, non modo
animal, sed etiam quod ita ortum esset e terra ut stirpibus
suis niteretur, in suo quidque genere perfectum esse voluit.
Itaque et arbores et vites et ea quae sunt humiliora neque

se tollere a terra altius possunt, alia semper virent, alia
hieme nudata, verno tempore tepefacta frondescunt:
neque est ullum quod non ita vigeat interiore quodam
motu et suis in quoque seminibus inclusis ut aut flores
aut fruges fundat aut bacas, omniaque in omnibus quantum in ipsis sit nulla vi impediente perfecta sint.　　Facilius
vero etiam in bestiis, quod his sensus a natura est datus,
vis ipsius Naturae perspici potest.　　Namque alias bestias
nantes aquarum incolas esse voluit; alias volucres caelo
frui libero; serpentes quasdam, quasdam esse gradientes;
earum ipsarum partim solivagas, partim congregatas; immanes alias, quasdam autem cicures; nonnullas abditas
terraque tectas.　　Atque earum quaeque suum tenens
munus, cum in disparis animantis vitam transire non
possit, manet in lege naturae.

baca : berry; cicur : tame.

334. The fear of death is a mistake.

Nil igitur mors est ad nos neque pertinet hilum,
quandoquidem natura animi mortalis habetur;
et velut anteacto nil tempore sensimus aegri,
ad confligendum venientibus undique Poenis,
omnia cum belli trepido concussa tumultu
horrida contremuere sub altis aetheris oris,
in dubioque fuere utrorum ad regna cadendum
omnibus humanis esset terraque marique;
sic, ubi non erimus, cum corporis atque animai
discidium fuerit quibus e sumus uniter apti,
scilicet haud nobis quicquam, qui non erimus tum,
accidere omnino poterit sensumque movere,
non si terra mari miscebitur et mare caelo.
et si iam nostro sentit de corpore postquam
distractast animi natura animaeque potestas,
nil tamen est ad nos qui comptu coniugioque
corporis atque animae consistimus uniter apti.

hilum : a jot; comptus : conjunction.

335. *After the defeat of Otho's army :* A.D. 69.

Et media acie perrupta fugere passim Othoniani,
Bedriacum petentes. Immensum id spatium, obstructae
strage corporum viae. quo plus caedis fuit; neque enim
civilibus bellis capti in praedam vertuntur. Suetonius
Paulinus et Licinius Proculus diversis itineribus castra
vitavere. Vedium Aquilam tertiae decimae legionis legatum irae militum inconsultus pavor obtulit. Multo adhuc die vallum ingressus clamore seditiosorum et fugacium
circumstrepitur; non probris, non manibus abstinent; de-
sertorem proditoremque increpant, nullo proprio crimine
eius, sed more vulgi suum quisque flagitium aliis obie-
ctantes. Titianum et Celsum nox iuvit, dispositis iam
excubiis compressisque militibus, quos Annius Gallus
consilio precibus auctoritate flexerat, ne super cladem adversae pugnae suismet ipsi caedibus saevirent : sive finis
bello venisset seu resumere arma mallent, unicum victis
in consensu levamentum. Ceteris fractus animus : prae-
torianus miles non virtute se sed proditione victum freme-
bat : ne Vitellianis quidem incruentam fuisse victoriam,
pulso equite, rapta legionis aquila ; superesse cum ipso
Othone militum quod trans Padum fuerit, venire Moesicas
legiones, magnam exercitus partem Bedriaci remansisse ;
hos certe nondum victos et, si ita ferret, honestius in acie
perituros.

probrum : insult.

336. ' *Old Time is still a-flying.*'

Huc vina et unguenta et nimium brevis
flores amoenae ferre iube rosae,
    dum res et aetas et Sororum
      fila trium patiuntur atra.
cedes coemptis saltibus et domo
villaque flavus quam Tiberis lavit,

> cedes, et exstructis in altum
> divitiis potietur heres.
> divesne prisco natus ab Inacho
> nil interest an pauper et infima
> de gente sub divo moreris,
> victima nil miserantis Orci.
> omnes eodem cogimur, omnium
> versatur urna serius ocius
> sors exitura et nos in aeternum
> exilium impositura cumbae.

Inachus : first king of Argos ; *sub divo :* in the open air ; *cumba :* (Charon's) ferry-boat.

337. *Agricola's early life and promotions.*

Sequens annus gravi vulnere animum domumque eius adflixit. Nam classis Othoniana licenter vaga dum Intimilium (Liguriae pars est) hostiliter populatur, matrem Agricolae in praediis suis interfecit, praediaque ipsa et magnam patrimonii partem diripuit, quae causa caedis fuerat. Igitur ad sollemnia pietatis profectus Agricola, nuntio adfectati a Vespasiano imperii deprehensus ac statim in partis transgressus est. Initia principatus ac statum urbis Mucianus regebat, iuvene admodum Domitiano et ex paterna fortuna tantum licentiam usurpante. Is missum ad dilectus agendos Agricolam integreque ac strenue versatum vicesimae legioni tarde ad sacramentum transgressae praeposuit, ubi decessor seditiose agere narrabatur : quippe legatis quoque consularibus nimia ac formidolosa erat, nec legatus praetorius ad cohibendum potens, incertum suo an militum ingenio. Ita successor simul et ultor electus rarissima moderatione maluit videri invenisse bonos quam fecisse.

sacramentum : military oath.

338. *Augustus and his house are the hope of Rome.*

> Crecsit occulto velut arbor aevo
> fama Marcelli ; micat inter omnis

Iulium sidus velut inter ignis
    luna minores.

gentis humanae pater atque custos,
orte Saturno, tibi cura magni
Caesaris fatis data : tu secundo
    Caesare regnes.

ille seu Parthos Latio imminentis
egerit iusto domitos triumpho,
sive subiectos Orientis orae
    Seras et Indos,

te minor laetum reget aequus orbem ;
tu gravi curru quaties Olympum,
tu parum castis inimica mittes
    fulmina lucis.

       Sērēs : Chinese.

339. *M. Aemilius Lepidus exhorts the people to oppose Sulla.*

Agundum atque obviam eundum est, Quirites, ne
spolia vostra penes illos sint; non prolatandum neque
votis paranda auxilia ; nisi forte speratis taedium iam aut
pudorem tyrannidis Sullae esse, et eum per scelus occu-
pata periculosius dimissurum. At ille eo processit, ut
nihil gloriosum nisi tutum et omnia retinendae domina-
tionis honesta existimet. Itaque illa quies et otium cum
libertate, quae multi probi potius quam laborem cum
honoribus capessebant, nulla sunt ; hac tempestate aut
serviundum aut imperitandum, habendus metus est aut
faciundus, Quirites. Nam quid ultra? Populus Romanus,
paulo ante gentium moderator, exutus imperio gloria iure,
agitandi inops despectusque ne servilia quidem alimenta
reliqua habet. Sociorum et Lati magna vis civitate pro
multis et egregiis factis a vobis data per unum prohiben-
tur, et plebei innoxiae patrias sedes occupavere pauci
satellites, mercedem scelerum. Leges, iudicia, aerarium,

provinciae, reges penes unum, denique necis civium et
vitae licentia. Simul humanas hostias vidistis, et sepulcra
infecta sanguine civili. Estne viris reliqui aliud quam
solvere iniuriam aut mori per virtutem? quoniam quidem
unum omnibus finem natura vel ferro saeptis statuit,
neque quisquam extremam necessitatem nihil ausus nisi
muliebri ingenio exspectat.

340. '*Eat, drink and be merry, for to-morrow—*'

> Vides ut alta stet nive candidum
> Soracte, nec iam sustineant onus
>   silvae laborantes, geluque
>   flumina constiterint acuto.
> dissolve frigus, ligna super foco
> large reponens, atque benignius
>   deprome quadrimum Sabina,
>   o Thaliarche, merum diota :
> permitte divis cetera, qui simul
> stravere ventos aequore fervido
>   deproeliantis, nec cupressi
>   nec veteres agitantur orni.
> quid sit futurum cras fuge quaerere et
> quem fors dierum cumque dabit lucro
>   appone, nec dulcis amores
>   sperne puer neque tu choreas,
> donec virenti canities abest
> morosa. nunc et campus et areae
>   lenesque sub noctem susurri
>   composita repetantur hora ;
> nunc et latentis proditor intimo
> gratus puellae risus ab angulo
>   pignusque dereptum lacertis
>   aut digito male pertinaci.

INDEX BY AUTHORS

LIST OF PASSAGES

PART I

PART II

PART III